新潮文庫

凶夢など30

星　新一著

新潮社版

4774

目次

凶夢など30

ウエスタン・ゲーム

その男は、五十に近い年齢だった。ある日、帰宅しようと、つとめ先の会社のビルを出たとたん、三十歳ぐらいの女性に声をかけられた。

「よろしかったら、そのへんでお茶でも飲みながら、ちょっとお話をさせていただけませんか」

「どなたでしたっけ」

「はじめてお目にかかります。お捨てになったとは思いますが、先日、このようなパンフレットをお送りした者ですの」

と、しゃれたアタッシュケースから印刷物を出した。ウエスタン・ランドと大きく書いてある。男は思い出した。子供むけ遊園地の広告かと、よく読みもせず紙屑かごに投げ入れてしまったが。

「いちおう、説明だけでも聞くとしますか」

男は、喫茶店の椅子(いす)にかけながら聞いた。相手の女性は言う。

「妙なことをおたずねしますが、このところ、運動不足で、ストレスがたまっておいででは……」

「そういわれてみると、なんとなく、だるさを感じる。肩もこる。眠りが浅い」

「そのため、会社での仕事の能率が上らない」

「ああ、そんなところだ……」

うなずきながら、男は前のパンフレットに目をやりながら言った。

「……だから、運動のためのこのクラブにお入り下さいというわけか。その手には乗らん。第一、入会金が高いにきまっている」

「そんなこと、ございませんわ……」

月給の五分の一ぐらいの、予想外の価格だった。利用のたびの料金も、ビヤホールで飲む程度のもの。

「あんがい安いな」

「それはですね、多くの企業グループが後援しているからですの。これによって心身ともにフレッシュになり、能率が高まれば、大局的に見ていい結果ですものね」

「となると、クラブには大ぜいの会員がいるわけか」

「大混雑なんてことはありません。問題のなさそうなかたはおさそいしませんし、ストレスが解消され、あきてしまわれるかたもおいでですし」

「なるほど」

ものはためしと、男は入会した。それは、さほど遠くない郊外の駅のそばにあった。ドーム状の屋根のあるビル。まず、医師の診察を受ける。そのあと、ドームのなかの、映画のセットを並べたような場所で、ウエスタン・ゲームをやるのだ。

早くいえば、西部劇ごっこ。もう、むやみやたらと拳銃(けんじゅう)を撃ち合うのだ。相手は他の会員であり、人数不足の時は、よく出来たロボットがまざることもある。

もちろん、本物の拳銃ではない。しかし、命中すれば、相手は倒れるのだ。こっちがやられたら、三十秒間だけ気を失う。引金をひくと、電磁波が発生し、狙(ねら)った方角が測定される。一方、レーダーでつねに人員の位置が判明しており、一瞬のうちにコンピューターが命中したかどうかを算出し、命中となると、その人に麻酔光線が照射され、意識を失わされるのだ。ロボットの場合は、動きが停止する。

指導員がやり方を話し、やられた場合を実演してみせた。一時的なものらしい。男もおそるおそる命中の状態になってみると、すぐに気が遠くなり、意識をとり戻して時計を見ると、一分間とたっていない。安心して遊んでいいようだ。

まさに、童心に帰れるのだ。こんな面白いことは、めったにない。活劇中の人物になれるのだ。いつのまにか、かなりからだを動かしている。なれてくると、精巧なロボット馬も使わせてもらえる。気を失っても落馬防止ベルトをしていれば、落ちてけがをすることはない。

男はしばしば通うようになった。やみつきになった。面白く、いい運動になる。

三カ月ほどして、男はクラブの医者に言った。

「精神的には楽しくてなりませんし、悩みごとの入ってくる余地もありません。しかし、このところ、だるさが残るし、息がつまったりします。ここでの遊びすぎでしょうか」

「だいぶ、ご利用になっていますな。ほどほどにという言葉もあります。この薬をお飲みになって、おやり下さい」

「はい」

しかし、ゲームをはじめると、もう、なにもかも忘れて熱中してしまうのだ。いつものように何回も気を失い、ふたたび目ざめ、かけまわりながら撃ちまくった。

そして、その日、何回目かの命中で、男は気を失い、そのままとなった。すなわち、心臓が停止したのだ。

クラブの一室に運びこまれる。そこにつとめている青年が言った。

「なんということだ。医者が事前にチェックしておきながら。いくら楽しいからって、無理にでもやめさせるべきだった」

そっちを見て、処理部長が言った。

「あ、きみは、つとめてまもないのだったな。事態にぶつかってからのほうがいいだろうと、説明をのばしていたのだ」

「説明って、なんの……」

「ここウエスタン・ランドの存在意義についてだよ。ただの遊び場ではない。いま死んだこの人、ある病気のため、そう長くは生きられないと診断されていた。あいにくと、治療法はない。それを告げ、絶望的な病院生活をすごさせたほうがよかったか」

「さあ……」

「それとなく、家族には知らせてある。ほとんどの場合、残された日々を楽しく充実したものにさせてやってほしいと答える。知らぬは当人ばかりなのだ。入院させれば、あと一カ月は長く生きられるだろう。しかし、それは苦痛にさいなまれながらだ」

「そういうわけでしたか」

「なかには、病院を抜け出してここに来て、馬にのったまま死んだのもある。楽しさに夢中になっていて、苦しまずに瞬間的に死んだのだ。そんな時、われわれはいいことをしたと思う。なんだったら、苦痛のあげく死ぬ場合のビデオを見るか」

「いいえ、たくさんです」

「どのかたの遺族からも、感謝されている。世のため人のための仕事なのだ。そこをよく考えてみてくれ。な、この男にしたって、いい死顔だろう。すぐに目ざめると信じ切っている」

ウエスタン・ランドの経営者が、特別応接室で、黒ずくめの服の男に言う。ここでなら、途中でだれか他人が入ってくる心配はないのだ。

「閉館時刻のあと、いつもの定期的な供養をたのむよ。ここで死んだ連中、死んだと気づかずに死んでゆくのだ。浮かばれない霊魂となって、そのへんをうろつきまわりかねない。あなたを大金でやとっているのも、そのためなんですからね」

「おまかせ下さい。わたしは、その分野にかけては一流なんです。自分で言うのもなんですがね。これはという、たたりの実例は発生していないでしょう」

「ないな。ここで働く者からの妙な訴えもない。どこの企業からも苦情は来ない。どの会社も業績は向上している」

「でしょう。わたしは才能をいかし、仕事と割り切ってやっています。しかしね、ここで身をもって知りましたよ。利益追求って行為が、かくも非情とはね。どうにもならん社員を病人に仕立て、ここで遊ばせながら薬で徐々に弱らせて殺し、遺族にも感謝されているんだから……」

王さまの服

むかし、大きくも小さくもない国があった。王さまがそこをおさめていた。三十歳をかなりすぎているが、まだ独身。統治がいまひとつうまくいかず、小さなごたごたが絶えなくて、結婚どころではなかったのだ。

王さまの住む城のあるその町へ、二人組の服づくり師が旅してきた。王さまにお目にかかりたいという。遠い国の王の推薦状を持っている。

〈なかなかの腕前の者たちです〉

王さまは、ためしに作らせるかという気になった。出来が悪ければ、金を払わなければいいのだ。二人を呼び寄せ、聞いてみる。

「どのような服を作るのか」

「わたくしどもの作る服の特長は、布地にございます。それは、すばらしいものです。まず、それを織ることからとりかかります。ご下命があれば」

「すぐにも、はじめてもらいたい。で、どのような布地なのか。楽しみなことだな」

「はい、たぐいまれなる性質を持っていまして、心のすなおな人にはきわめて美しく見え、そうでない人には目に入らないという……」

「ふしぎな布地だな。はじめて聞く。早く作ってくれ」

数カ月がたった。服づくり師の仕事場へ王さまがやってきたので、二人は迎えた。

「これはこれは、わざわざおいでとは……」

「進行しておるかね」

「はい、かなり。そこをごらん下さい」

指さされたところを見つめ、王さまは考え込んで言った。

「なにも見えぬ。わたしがだまされているのかな」

「だますなんて、とんでもございません。そんなことをしたら、処刑されてしまいましょう」

「となるとだな、みとめたくないことだが、わたしの心はすなおでないということになる」

「そうなりましょう。しかし、恥じることはございません。それが当然でございましょう。政治というものは、きれいごとではつとまりません。人がよければ、だまされつづけで混乱のもととなります。王さまには見えなくてよろしいのです。問題は、臣下や国民に関連したことでございまして」

「しかし、透明ではなあ」

「先日、パンツひとつで水泳をなさるのを拝見いたしました。ひきしまっていて、みごとな肉体。ほれぼれしました。つまり、どちらにせよ魅力的ということで」

「そういうものかな」

王さまは時たまそこへ見学に寄る。二人はとくいげに話す。

「まもなく、出来あがります。会う人ごとに話題にし、うわさをひろめております」

「そのようだな。国民、だれもかれも、それへの期待で頭がいっぱいらしい」

「そこでございます。好奇心刺激宣伝による幻覚現象。じらし効果。口コミでの促進作用。集団催眠。流行現象。教祖的コントロール。波及無意識。チェック引金システム。機構運営理論。それらの材料の総合的成果をめざすわけで」

「なんのことやら、まるでわからんが」

「おまかせ下さい。わたしども、魔法をちょっとかじっておりまして、夢のなかで自在に未来をのぞいておるのでございます。他人にない才能というわけで」

いよいよ、その当日。

服は完成した。それを着せられながら、王さまは言った。

「着ごこちというものを、まるで感じないが」

「仕立てのうまさでございます。よけいなことを、お考えにならぬよう。悠然とおふるまいになればよいのです」

「そういうものか」

ラッパが高らかに鳴った。服づくり師たちの指示したメロディーによる合奏。城門が開き、護衛隊を周囲にしたがえ、王さまはゆっくりと歩き出した。道の両側の人たちのかたずをのむ静寂を、幼い男の子の純真そのものの声が破った。

「りっぱあ……」

反対側の人垣のなかで、女の子がかん高い声をあげた。

「わあ、きれい。すてき、まぶしい……」

それがきっかけとなって、歓声や拍手が嵐のようにわきあがり、大波のようにうねりがつづいた。王さまは町を一周して城へ戻った。

服づくり師の二人は、それをぬがせ、箱にしまいながら言った。

「いかがです。予想以上の反響でございましたでしょう」

「そういうことになるんだろうな」

王さまは内心、いまだに、なにがどうなっているのか理解できずにいる。

「これで、大部分の者はすなおだと立証できたわけです。ところで、ぜんぜん反応しない連中もおりましたよ。わたくしどもは冷静です。そいつらのリストを作っておきました。なにかのご参考までに」

その人名表をもとに取調べてみると、ある陰謀が発覚した。はだかで歩く王さまが笑いものになるこの機会を利用し、権威を失墜させ、自分たちで国の支配力を握ろうという計画。連中は、なぜ人びとが大歓声をあげたのかと、ふしぎがっている。その一味は国外へ追放。

その一件以後、国内の統治はスムーズになった。服づくり師の二人は、多額の謝礼をもらって去っていった。

めでたし、めでたし。少しはなれた国の美しい王女との婚約もととのった。気品のある、頭のいい、やさしさにみちた王女。

式をひかえて、王は例の服の入った箱をあけて言う。

「どうだろう。式にこれを着るというのは」

王女はにっこり笑って答えた。

「悪くないけど、似合わないみたい。いまじゃ、はやらないんじゃないかしら。やはり結婚式は、伝統にのっとってやるほうがいいと思うわ」

暗示療法

医者のところへ青年がやってきて言う。

「先生は夢の分野についておくわしいそうで、ご相談にうかがいました」

「さよう、それが専門です。奇妙な症状も、かず多く扱っています。すべてなおしました。で、お気になさっているのは、どんな夢なのですか」

「まっくらで、なにも見えないのです」

「ふしぎはないでしょう。ベッドに入り、部屋の照明を弱くするか消すかして、まぶたをとじる。まっくらで当然でしょう」

そう言う医者に、青年は手を振った。

「いえいえ、それが夢なんですよ。ずっとそうなんです。子供は、ライオンに追っかけられたりする夢を見るみたいですね。思春期になると、すてきな異性の夢を見るらしい。ぼくには、そういう体験がないのです。なんにも出現しない。孤独そのものです」

「ふうん。妙な人もいるものですな。よろしい、なにか出ればいいんでしょう。暗示療法をこころみましょう……」

医者はそれをやり、眠る前に飲む薬を渡した。青年は帰りがけに言う。

「なんだか楽しみですね」


「ききめはどうでしたか」

やってきた青年に、医者は聞いた。

「出ましたよ、夢のなかに。しかし、いっこうに面白くもない、地味な服の中年男」

「少しは改善されたわけでしょう」

「どうですかね。そいつは、ただ、ぼやっと突っ立ってるだけ。ぼくの目がさめるまでですよ。少しは、その、なにか変化があっていいんじゃないでしょうか。この一週間、ずっとそのままなんですよ」

「では、暗示療法を……」

「うまくいけばいいんですけど」


「うまくいったでしょう」

またもやってきた青年に、医者が言った。

「どう答えたものでしょうね。やつは、しゃべりはじめました」

「変化があったわけですね」

「いい方向にじゃありませんよ。そいつはぼくを、ののしりつづけるのです。ばか、まぬけ、低能、うすのろ、なめくじ、腰ぬけバッタ、のろまミミズ……」

「おやおや」

「ぼくには、想像力とか欲求といったものが、欠けているのかもしれない。夢を見ることができないのは、そのせいだ。うすのろと呼ばれるやつらも、案外、面白い夢を見ているんじゃないでしょうか。それにも劣るとなると……」

「まあまあ、あきらめることはありません。もう少し治療してみましょう」

「せっかくここまできたのですからね」

「そうですよ」


「やつが、あの夢のやつがですよ、ぼくの相手になってくれるようになりました」

青年の報告に、医者はうなずいた。

「そうでしたか。よかった」

「しかし、いいといえるものかどうか。バドミントンをやりつづけるだけですよ。周囲の光景もなんにもないとこで、そのくりかえし。どっちもミスをしない。夢ですから、べつに疲れることもありません。それにしても、毎晩、眠ってから起きるまで、バドミントンとはね」

「つまらないでしょうね」

「ええ。しかし、最初の暗黒よりはね。この程度で、満足すべきなんでしょうか」

青年に言われ、医者は口調を強めた。

「そんなことはありません。わたしの手腕は、もっとすぐれているはずだ。名声に傷がつきます。その、変な中年男がいかんのだ。そいつを追い出しましょう。暗示療法をあきらめないで下さい」

それがなされた。


青年がやってきて、医者に言った。

「みごとな風景が夢に出てくるようになりました」

「どんなふうです」

「海岸なんですね。波が砂浜を洗っている。沖には島が三つほど、空には白い雲がぽっかり。ふりむけば、雪をいただいた山脈が見えます。右横はお花畑、色とりどりの花が咲き、チョウが舞っています。左横には小高い丘があって、紅葉した樹木におおわれ、黄や赤で燃えるような美しさ……」

「やった。すばらしい。これこそ夢」

ひざをたたく医者に、青年は浮かぬ顔で言う。

「しかし、ねえ、みごとな風景写真にかこまれているだけといった気分です。ほかに、だれもいない。つまらんやつ、ぶっそうなやつの出現よりはましと、その点についてはがまんしましょう。いけないのは、明るいことですよ。眠ったとたん、美しく明るい夢がはじまり、それが朝まで。夢らしくないでしょう」

「そうでしたか。うまくありませんなあ。よし、ここまできたからには、あとには引けません。発想の転換が必要だ。すべてを白紙の状態に戻して、別な方向へ進めてみましょう」

医者は熱心に治療をこころみた。青年は、帰りぎわに言う。

「まあ、希望だけは持ちつづけますか」

「どうです。なにか変化は」

医者に聞かれ、青年が言う。

「もとの形に近いものですね。暗いなかに、ただひとり。しかし、音楽がある。静かなメロディー。心が洗われ、眠りにさそい込まれ、夢の世界へと導かれるような」

「そうそう、そうなるようにしたのです」

「だけどね、それがすでに夢なんですよ。夢ごこちにはなるが、それ以上になることはなく、目ざめれば終りです。ぼくは夢らしい夢を見たかったんですが、体質的に無理なようですね。まあ、これでがまんしましょう」

「あきらめてはいけません。もう一回だけやらせて下さい。専門家としての体面もあります。あらん限りの力を尽くします。全力投球。あらゆる方法を動員します。それでだめだったら、どんな批判も甘んじて受けましょう」

「では、そのお言葉をたよりに」

治療が開始された。


一週間、十日、二週間とたっても、青年はやってこなかった。医者はつぶやく。

「ということは、あの青年も人なみな夢を見られるようになったということだ。わたしの名声も保たれた……」

満足げにひと息ついて、首をかしげる。

「……しかし、なぜかな、このところ、ぜんぜん夢を見なくなったような気がするが」

深い仲

その三十二歳の男は、小さいながらも古美術品の貿易の会社を経営していた。大学時代に美術史の分野を専攻したが、こんなことでは食えないだろうと、商社の入社試験を受けると合格してしまった。頭のできが普通の人とちがうのだろう。

そのうち才能をみとめられ、つとめ先の会社関係の人のなかから出資者が出て、独立したのだ。美術品は値段に関していいかげんなところが多く、それだけうまみがあり、大がかりな贈答用で相手を驚かすにも適当だった。経営は順調だった。

結婚して五年になる。妻は大口の資本を出してくれた人の娘だった。子供がいないうちは、いっしょに海外へ出かけたりした。まじないの道具とか、怪しげな仮面とか、ききめのあるマスコットとか、妙な品々を買いあさる。

それらが集ると異様なムードだが、彼女は特別展示会を開いて巧みにさばいてしまうのだ。

「この壁かざり、本当に霊がやどっているのよ。前の持ち主、それで身の危険をのがれられたの」

「だとしたら、すごいわねえ。でも、それを、なぜ売りに出しちゃったの」

「鋭い質問ねえ。そこなのよ。一回しか、ききめがないからなの。赤の他人に売らないと、ろくなことにはならないの」

「そういうことも、あるかもしれないわね。面白いわ。話のたねにもなるし」

と、けっこう売れてしまうのだ。

その妻も、男の子が生れると専業主婦となり、子育てに専念するようになった。べつに退屈とも、つまらないとも言わずに。

男は男で、さらに事業をひろげていった。南米の新進画家の展覧会を大々的にやり、成功をおさめたこともあった。

それにはPR関係を受け持った、房江という女性の助けも大きかった。妻は子供ができてからふとりぎみになり、子供第一だが、房江はちがった。スタイルもよく、外国語は二つもこなし、仕事はてきぱきやるし、ボーイッシュなところもあった。

用件でたびたび会っているうち、どちらからともなく、正確にいえば男のほうからだが、親しくなり、いっしょに酒を飲んだりしているうちに、深い関係となっていった。

その気になれば、二人きりになれる場所はいくらでもある。車を使えば、知人に会うおそれのないとこへも行ける。

男は時たま帰宅する。やましい気がしないでもないが、それもしだいになれてきた。妻子を愛していないわけじゃないし、仕事は順調で、利益はあげつづけているのだ。

もちろん、房江とも会う。仕事の関係で会社からかなりの金が出ているし、損はさせていない。それに、平然としているところも好ましかった。

　これが、愛してるのねと念を押したり、うじうじとなにか要求を持ち出したり、奥さんと別れて結婚してくれなど言い出されると、たちまちいやになるだろう。割り切った大人どうしの付き合いとして、さっぱりとした仲だった。

　しかし、男というものはもともとそういうものなのか、欲望とはそういうものなのか、男は房江になにかものたりなさを感じはじめた。なるほど、たしかにいい女で、役にも立ってくれ、仕事もよくやってくれる。ユーモアのセンスも、ないわけではない。しかし、仕事がらみの付き合いとなると、どうしてもムードに欠ける。

　もっと女らしい女、結婚を口に出しかけたりひっこめたりする女、そういうのも刺激があっていいのじゃなかろうか。発覚する危険をともなうかもしれない。しかし、それもひとつの魅力じゃなかろうか。一生のうち、そういう体験をまったくしないというのも……。

　男はあるパーティーで、和服専門のモデルという女性と知り合った。雪子といい、三十歳ぐらい。さびしさのかげのある女で、なんとなくほっておけない印象を与える。声をかけてさそうと、ついてきた。

　いろいろ話を聞いてみると、はたして事情があった。よくあるたぐいかもしれないが、母親は好きな男が出来て家を出てしまい、父親はそのあとがまに若い女を引き入れた。必然的に雪子は浮きあがってしまい、家を出て、なんとかモデルの口にありつけた。

しかし、売れっ子とまではいっていない。男はその方面に、知り合いがないでもなかった。できたら使ってやってくれと、宣伝関係やカメラマンに依頼した。

うれいにみちたところが特色だった。いまの世の中、元気いっぱいの若い女の子のモデルが多すぎる。そのため、かえって目立ち、復古調というわけでもないだろうが、雪子は徐々に有名になっていった。

男とは、いつのまにか深い仲になった。マンションを一軒、買ってやった。雪子は内部を純日本風に仕上げた。四畳半も作った。昔でいえばまさに妾宅だが、いまの都会で一軒家でそれはやれない。

男はそこへよく寄った。房江のことを忘れたわけではなく、それはそれで付き合い、時には自宅にも帰ったが、雪子といっしょにいるのは、まさに格別だった。

精神的にも日本的になれる。日本的な道徳観を思い出したりし、自省的になったりもする。雪子が結婚のことを、胸もとでやっと押えて口にせず、独特な目つきで見上げたりすると、ぞくっとくる。こういう快感は、これだけの手数をかけたからこそだ。

男はそのうち、ふとしたきっかけで、喫茶店につとめる芽里という女の子と知り合った。

「メリーとは珍しいな」

「よくあるんじゃない。あたし、オートバイが好きなの。今度、乗っけてあげるわよ」

「危いんじゃないかい」

「そんなとしでもないくせに」

天真らんまんな性格だった。そんないきさつで、オートバイで夜道を突っ走り、海岸へ行き、深い仲となった。もちろん、ただではすまない。兄と称する、すごみのある若いのが出現した。

「おいおい、妹になんてことをしてくれた。これが大人の付き合いなら、なんにもいわない。しかし、まだ若いんだ。このまますませることは、できないぜ」

男はつとめ先の会社名を知られているのだ。

けがをしても、つまらない。男は恥を忍んで警察へ届け出る。それとなく警備をつけてくれた。しかし、会社へ出るのがおっくうになる。家で久しぶりに子供と遊んでいると、妻が言った。

「なにかあったみたいね。家にとじこもったりして。あなたらしくもない」

「ちょっとした事件に巻き込まれてね。やましいことはない。警察へも届け出てある」

「房江さんとのこと、どうなったの」

不意に言われ、ぎょっとする。

「だれのことだ、それ」

「ごまかさないでよ、わかってるんだから。会社のPR関係の取引先の女の人よ」

「それは、いっしょに仕事をしたことはあったけど、それだけだ」

「それはそれとして、じゃあ、雪子さんてかたとはどうなの」

「そ、それはまあ……」

「好きなんでしょ」

「いやな女じゃないけど、しかし、それほどということは……」

男はわけがわからなかった。やがて妻が言った。

「そして、今度の問題はメリーさんでしょう。心配しなくて大丈夫よ」

「いったい、なぜ……」

男はもう、なにがなにやらわからなくなった。妻が言った。

「説明してあげるわ。むかし、あたしが妙な魔法の品を集めたことがあったでしょう。大部分はいいかげんなもので、もったいをつけて売っちゃったけど、本物もあったのよ。それをひそかにとっておいたの」

「なんの役に立つものなんだい」

「あたしの分身を作るためのもの。そっくりじゃなくて、あたしの別な一面をそなえた分身よ。房江さんもそのひとつ。あたしの分身ってわけよ。すてきな人でしょ」

「それはもちろん」

妻の分身とあっては、公然とけなすわけにもいかないだろう。ほめておくほうが、無難というものだ。

「雪子さんもそうよ。あたし、あの分身、気に入っているの。情緒があるでしょ。あなたの気を引ける自信はあったわ。たんのうしたでしょう」

「よかったとも。あれもきみの分身とはなあ、あんな一面もあったのか。しかし、ねえ、こんなこととはなあ……」

ため息をつくと、追っかけるように妻は言った。

「若さだって残っているのよ。メリーって子もそうなんだから」

「まさか」

「本当よ。あたし、スポーティなことも好きなの」

しばらく考え、男は言った。

「これから、どうすればいいんだい。だれとも縁を切るのが最良かな」

「その必要はないわ。どれもあたしの分身なんだし、あなたも気に入っているようだし、つまり、あたしたちは、さまざまな形で結ばれてるってわけよ。自由に楽しみましょうよ。こだわることなく」

「……信じないだろうが、こういうわけなんだよ。気が抜けたみたいだ」

男はバーのカウンターの椅子にかけ、バーテンに言った。

「考えようによっては、公認の浮気ってことでしょう。いいじゃありませんか」

「公認でも、浮気ならいいよ。しかし、どれもが妻の分身とわかってはね。なんの気分も出ない。時にはバーへ寄って、いい女だなあと、くどきたくなることもある。しかし、それも分身かもしれない」

「外国へ行ってみたら……」

「しかし、あの分身の秘法、日本に限るわけじゃないんだぜ」

「完全な自由は、自由にあらずですかね。どうです、こうなったら、もっぱらお酒にしなさい。これも分身かもしれないが、飲んでしまえばどうってこともないでしょう」

たねの効用

その少年は、小さな地方都市のはずれに住んでいた。ある日、ひとりで学校から帰る途中、五十歳ぐらいの男に声をかけられた。

「あの、ちょっとおたずねしますが……」

ていねいな口調だった。少年は答えた。

「なんでしょうか」

「このあたりに古いお寺があると聞いてきたのですが、どう行けばいいのでしょう」

「案内してあげましょう、先祖の墓もあるし」

少し回り道をすればいいのだ。男は喜び歩きながら話しかけてきた。

「親切ですね。きみは頭もよさそうだ」

「学校での成績は、いいほうです。勉強がきらいじゃありませんから」

「もっといい成績をとりたいだろう」

「もちろんですとも」

「それには、あせらないことだ。緊張しすぎると、実力が充分に発揮できない」

「でも、張り切るなと言われても、無理ですよ。修養をつんでいるわけじゃないし」

「これをあげよう。植物のたねだ。その葉っぱを、お茶のようにお湯に入れて飲むといい。ききめはたしかだ」

ちょうどお寺の前で、男は別れて門の中へと入っていった。少年の手には、小指の爪ぐらいの大きさの一粒のたねが残っていた。

家の庭のすみに、まいてみる。やがて芽を出し、葉がついた。八つ手のような大きな葉っぱ。何枚かにふえるのを待ち、少年はその一枚をもいで、きざみ、かげ干しにした。

その少しを、お湯に入れてみる。しかし、はたして大丈夫なのかどうか、ためらいを感じた。近所の犬に飲ませ、ブタやニワトリを飼っている人のところへ行って、ひそかに飲ませた。何日かようすを見る。べつに害はないようだ。

少年は思い切って、自分で飲んでみた。すぐにではなかったが、少しずつ幸福な気分になって一週間ほどつづいた。悪いものじゃない。いつのまにか、それが習慣になった。

学校で友人に言われた。

「このごろ、楽しそうだね。落ち着きが身についたみたいだね」

「人生、あくせくしないほうがいいんだ」

あせらない性格がそなわったが、成績はとなると、よくなるどころかしだいに下った。それもあまり気にならないでいたが、上級校はどこをめざすかをきめる時期が迫って、さすがに心配になった。

あの妙な植物のせいのようだ。早いとこ、引っこ抜いてしまえばよかった。いまからでも、おそくない。少年はそれをやり、つぶやいた。

「どうなっているんだ。いやに重いし」

球根なのか、地下茎なのか、地下にあった部分が野球のボールぐらいの大きさになっており、そのそばに根が分岐した形でピンポン玉ぐらいのもくっついている。かなり重い。

「調べてみる価値はありそうだ」

その小さいほうをもぎ取り、大きいほうはふたたび土に植えた。水で洗うと、黄金色の輝きがあらわれた。比重を調べてみると、どうやら純金。強い酸にもとけないのだ。

「すごいものだ。金の卵をうむガチョウの話は読んだことがあるが、こんな植物があるとはね」

なぜそうなるのかは、どうでもよかった。ゆっくり研究すればいい。とにかく、現実にそうなっているのだ。気分ばかりでなく、金銭的にもあくせくしないですむよう、サービスがゆきとどいている。

「上の学校へ行くのはやめた。薬草の栽培を仕事としたい。案外、こういう分野のほうが、将来性があると思う」

少年がこう言うと、両親も、先生も、級友たちもふしぎがった。優秀で根性もあり、ひとかどの人物になるにちがいないと見られていたのだ。

　それをはじめた。最初は小規模で、しだいに大きくし、温室も作った。表むきは、薬草を栽培していないと怪しまれる。それに、できれば、あの植物をさらにふやしたい。

　何年かたち、彼もおとなになった。薬草の仕事はまあまあだった。とくにもうかるわけでもなかったが、あの植物は地中で黄金を作りつづけてくれる。熱でとかし、四角い形にして都会の貴金属店へ持ってゆくと、純金と鑑定した上で、買ってくれる。

　のんきな生活だった。葉っぱを酒にひたして飲んでみたこともあった。ききめは同様。幸福な日々がつづく。

　しかし、結婚は考えものだった。秘密のもれるもととなりかねない。やけぎみで、彼は女遊びをはじめた。ほうぼうに借金ができたが、あたふたという気分にはならない。なんとかなるだろう。

　まさにそうだった。せっぱつまり、まずは例の根を売ってと調べてみると、黄金はそのぶんだけ多くついていた。借金はぶじに解決。女遊びはほどほどにしよう。

　こつをおぼえると、それが生活習慣になってしまった。第二の球根といった部分を、売ったりせずに埋めて待てば、植物をふやせそうなのだが、そんな余裕はなかった。また、その必要もない。

　葉っぱをもいで飲用しているせいか、花は咲かなかった。たねを採取するため、ある期間をがまんすることなど、できない。飲用をやめると、不安感に襲われるのだ。また、その植物は決して枯れたりしそうになかった。

歳月がたち、彼も中年に近づいた。

都会へ出た時、酒に酔ったあげく、盛り場で手相を見てもらった。易者は驚いて言った。

「すばらしい手相。こんなのは、はじめてです。見まちがえなど、ありえない。どんな分野でも、超一流の成功をおさめる。いま、充実した毎日でしょう」

「充実ではないが、満足した日々だよ。仕事は薬草の栽培だがね」

「まさか、そんな。ほかの占い師に見てもらってごらんなさい」

そう言われ、彼は有名な占星術の人を訪れた。生年月日を告げると、占い師は言った。

「たしかです。二十代から三十代にかけ、大きなことをやってのけたはずです。科学の分野へ進めば、世界的な大発明。芸術でも同様。政界へ入っていれば、いまや相当な実力者。外国だったら、さしずめ大統領ですね」

「信じられない」

「そうなるのをさまたげる、なにかがあったようですね。心当りはありませんか」

「そういえばということが、ないことはありませんね。しかし、もはや手おくれ……」

彼はそこを出る。回想すれば、少年の日、たねをくれた男。どこか異様な印象の持ち主だった。あれはだれで、なんのために……。

考えてもわかることではない。そなわったどえらい才能を発揮させまいとする、どこかの陰謀だったのかもしれない。あいつは外国のスパイか、それとも未来から来たやつか……。

まあ、どうでもいいじゃないか。いま、自分では幸福と思っており、のんきな日常なのだ。このままで不満はない。えらくなれば他人にやっかまれるし、場合によっては命を狙われかねない。そうならないよう、あのお寺の墓地の祖先の霊魂が、あんな形で助けてくれたと考えればいいのだ。

ひどい世の中

その青年の帰宅の足は重かった。二十八歳。入社して以来、仕事ぶりはまあまあだった。しかし、学生時代の友人の借金の保証人になったのが運のつき。そいつはどこかへ逃げてしまい、青年のところへ取り立てが来た。やむをえず、会社の金に手をつけてしまったのだ。それが発覚。埋め合せがつけばいいのだが、そんな余裕のあるわけがない。退職金で帳消しという形で、くびになった。

やけ酒でも飲みたいが、行きつけの店に顔を出す気にもなれない。郊外の駅で下りる。ここから歩いて七、八分のアパートにひとりで住んでいるのだ。

商店街を抜ける。一軒のバーが目に入った。そんな心境のせいか、その店はいやに魅力的に見えた。あまりに近所すぎて、いつもはぜんぜん気づかずにいた。目にはしていたのだろうが、どんなお客が入るのかなど、考えたことすらなかった。

「ひとつ、ここで飲むか」

ドアをあけて、なかに入る。小さいが、しゃれた内装で、カウンターの内側に三十代なかばぐらいの女性がいた。彼女ひとりでやっているようだった。

「いらっしゃいませ」

声をかけられ、青年は言う。

「はじめてなんだけど」

「どなたも、最初はそうですわ……」

いくらか気分がリラックスする。ウイスキーの水割りを注文し、少しずつ飲む。ここのママ、いかなる人生をたどってきたのだろう。気にはなるが、入ってすぐ、そんなことは聞けない。ママはつづけた。

「……むこうのかたは、一カ月ほど前から、時どきいらっしゃるようになったのよ。宣伝関係のお仕事をなさっているんですって」

少しはなれて、四十歳ぐらいの男がいた。紹介されたような形になり、顔が合う。なぜかしらないが、共感しあうものがあった。思わずあいさつをしていた。

「よろしく」

「こちらこそ」

と相手は応じた。感じはいいが、楽しく飲んでいるようすではない。青年はグラスを手に、そばの席に移って聞いた。

「景気はどうですか」

「まあまあとお答えできれば、いいんですがね……」

宣伝業といっても、自分と女性社員の二人だけでやっている小規模なもの。いままではなんとかやってこられたが、仕事をもらっている会社からの支払いがおくれる一方。なかには、つぶれるのも出るかもしれない。そうなったら、こっちまで倒産。妻子を連れて夜逃げをしなくてはならない。

「大変ですねえ。じつは、ぼくも似たようなものです。きょう、会社をやめさせられたのです。しばらくは失業保険がもらえますが、なにもかも出なおしです」

「それはそれは。お気の毒に。わたしだけが愚痴をこぼしてしまって。この店はそう高くありません。おたがい、飲みながらなぐさめあいましょう」

杯をかわしあい、いつしか時間がたっていった。二人とも、くりかえして口にした。

「ひどい世の中だ」

何回目かのそれに、そばから同調する人があらわれた。

「そうです。まったく、ひどい世の中だ」

五十歳すぎの初老の紳士だった。

「なにか事情がありそうですね」

「あとはわたしがおごりますから、話を聞いて下さい。だまって心に秘めておくつもりだったが、あなたがたの話を聞いているうちに、仲間に加わりたくなりました……」

奔走（ほんそう）して資金を集め、建物を借り、会員制のスポーツクラブを作り、やっと運営が軌道に乗ったとたん、役職から追い出されたという。

「なにかをしでかしたためですか」

「それなら仕方ないのだが……」

その初老の紳士は、ある大会社の総務部長までつとめあげた。しかし、不祥事件が発生し、重役たちに罪が及びそうになった。会社のためと、彼はその全責任をひっかぶり、短期間だが刑務所に行ってきた。

わけを知る者は同情してくれるが、そうでない人には通用しない。陰謀の好きなやつらによって、そういう過去のある人は高級なスポーツクラブにふさわしくないと、やめさせられてしまった。

「たしかに、ひどい世の中です」

三人による合唱となった。さらに杯を重ね、酔いによって気分が大きくなった。やがて、初老の紳士が言う。

「こうなったら、われわれも力を合せて、世の中に対抗しましょう」

「やりましょう。しかし、どうやって……」

かなり乗り気になっている。

「ここではまずい」

「じゃあ、ぼくのアパートで……」

会社をくびになった青年が案内し、彼の部屋で作戦がねられた。初老の紳士が言う。

「会社をやめた時、担当はなんでした」

「資材部です」

「となると、ひとつの計画が立ちますよ。宣伝業のかた、わたしが後任ですと、だませそうなところを回って、どんどん仕入れて下さい。処分はわたしが引き受けます」

「うまくいきますかね」

「会社の内情だの、上司の名前だの、話のつじつまの合うよう、よく相談してかかればいいのです。宣伝業なら、名刺の印刷ぐらい、お手のものでしょう。早いほうがいい」

「やってみましょう。なんだか自信がついてきた。いままでが実直すぎたのかもしれません」

さっそく、それが実行に移された。会社のなかには、あのやめたやつのしわざではと言う者もあったが、そんな知恵や度胸のある性格じゃないと、犯人不明のまま損は会社がかぶった。

というわけで、まとまった大金が入り、三人で分け、あのバーへ寄った。

「とにかく、めでたい。祝杯だ。ママ、今夜は大いに飲むよ」

「けっこうね。なにがあったのか知らないけど、こないだとは一変したムードね」

ここで飲むと、気が大きくなるのだ。

「われわれには、自分で思っていた以上の才能があるのだ。また、なにかやろう」

「そうですとも」

つぎの計画がねられた。

もっともらしいパンフレットと、スポーツクラブの会員券が印刷された。それを青年と宣伝業の男とが、大割り引きで売って回った。初老の紳士からこつを教えられているので、つぼをはずさない説明ができる。

その損害は、クラブがしまつをしなければならなかった。あいつではないかと予想はついても、証拠もないし、陰謀で追い出したうしろめたさもある。表ざたにして評判を落すのも困る。

またも乾杯。

「すべて順調だ。飲むよ、ママ」

「いつまでもそうだといいわね」

三人は陽気に飲み、一週間後に再会して新作戦を打ち合せようと約束して別れた。

そして、その当日の夜、バーはしまっていた。ドアの前に青年が立っていて、二人を自分のアパートへ連れてきて言った。

「あそこ、店じまいなんです」

「ママになにかが起ったのか」

「三日前に、ひとりで飲もうと思って来たら、しまってるんです。つぎの日、いろいろ聞いてまわって、わかりましたよ。あのママ、未亡人だったんですね。亭主が事故死したのです。ショックだったでしょうけど、補償金は入るし、生命保険も受け取ったし、一段落してから気ばらしにあの店をはじめたんです。だから、のんびりとやっていたわけなんです」

「そうだったのか。しかし、それがなんで店じまい……」

「ぼくたちが飲んだ次の日、ママの昔からの女友だちが来たらしい。一種の霊感の持ち主で、この店には妖気がただよっていると告げたそうです」

「妖気がねえ。そんな感じはぜんぜんしなかったが」

「妖気の説明もしたそうです。この場所に眠っていた悪霊が、なにかのきっかけで目ざめてしまったのだと。ママは驚いた。なにしろ、亭主に死なれている。これ以上に変なことに巻き込まれてはたまらないと、そうそうに郷里の実家に帰ってしまった。現金払いのお客が多かったし、あの店は家賃で借りていたので、あきらめもつけやすい」

「あの店を手に入れたいとの、だれかのいやがらせではないのかな」

「そんな動きはないようですよ。とくにはやってたわけじゃないでしょ。それにしても、ぼくたちにはいい店だった。あとを引きついで、やってみるかな。悪霊がついているのが本当なら、うす気味わるいが」

話がとぎれ、宣伝業の四十男がしばらく考えてから言った。

「もしかしたらだ、あそこの悪霊を目ざめさせたのは、わたしたちじゃないだろうか。三人で意気投合して、世の中をのろった。あれがきっかけのような気がしますよ。それからの非合法の大仕事、二つとも成功した。自分でもふしぎなほど、うまくいった。まだ、やれそうです。悪霊のおかげにちがいない」

　初老の紳士も言う。

「ありうることだ。悪霊の応援をほっておくことはない。金も出来たことだし、あの店をわれわれでつづけよう。きみがその気なら」

「こうなったら、ぼくも普通の会社づとめなどに戻る気にはなりませんよ。べつに売り上げを気にすることもないわけだし」

　かくして、その小さなバーは三人の本部のようなことになった。架空の会社を作って手形の詐欺をやり、怪しげな特許権を売りさばいたりする。なにもかもうまくゆく。

　いちおうバーの看板を出しているので、そうとは知らずに入ってくるお客もある。いまやマスター兼任の青年が迎える。

「いらっしゃいませ」

「なんとなく飲みたくなってね」

「わかりますよ。いまの世の中、どこかまちがっています。ご不満を心にためておいてはいけません。ここは女っ気なしの店ですが、それだけお安くしておきます。ここへおいでになったのは、なにかの縁ですよ。いやなことは、酔って忘れて下さい」

「悩みをかかえていると、よくわかるね。じつは女房に逃げられたんだ」

「そうでしたか。その不快さは、男にしかわからない」

「しかし、いい感じの店だね。わけはわからないが、活気がわいてくる」

そんなことで、徐々に仲間がふえてゆく。

仕事もさらに拡張した。一流会社の役員の素行を調べ、金をゆする。人数が多いほど、能率があがる。旅行会社の社員が仲間に入ってくれ、海外での行動のリストも入手でき、収益は飛躍的に伸びた。

麻薬を使い、政治家の秘書からさまざまな裏話を聞き出し、これも買手は多かった。

バーの仲間たちは、だれもかれも金回りがよく、なにしろ生きがいがあった。一日一日が充実している。

そして、一年ほどたったある夜。

開店するとまもなく、二人づれのお客が来た。はじめての顔で、目つきが鋭い。

「いらっしゃいませ。ここは気楽な店でございます。お悩みは、きっと消えますよ。なにしろ、世の中、どこかまちがっておりますからね」

青年のあいさつに対し、客は言った。

「おいおい、いい気になるな。われわれは警察の者だ。ここを本拠にしてやっていること、一味の名前、すべてひそかに調査ずみだ。店内をさがせば、麻薬だの、無許可のいんちき高貴薬だのが出てくるはずだ」

「なんで……」

　そういえば、このところ、なんとなく妙な気分だった。しかし、こんなふうに終局が来るとは。悪霊がついていてくれるのに。いや、待てよ。あの悪霊さま、どこかよそへ行ってしまったのかな。そうかもしれない。みな仕事の面白さに夢中で、悪霊さまへの感謝の念を忘れてたからな。

「……そんなとこだろうな」

「なにをぶつぶつ言っている。弁解なら、警察で聞いてやる。そのあとに、公正な裁判だってあるんだ。じたばたするな」

　と言われ、青年はつぶやくように言う。

「あなたがたは信じてくれないでしょうが、信じてくれる弁護士がついてくれるとありがたいんだがな。そもそもの元凶は悪霊だってことを」

指示

その青年は大学の休暇を利用し、ある地方都市へやってきた。ひとりで山を歩くのが好きだったのだ。登山といったたぐいではなく、景色を眺めて楽しむほうだった。

とまった旅館の主人と雑談していて、この近くに霊媒としての能力を持つ人のいることを知った。好奇心が高まり、行ってみたくなり、その住所を教えてもらった。

たずねてみると、七十歳ぐらいのふとりぎみの女性だった。それで生活しており、一回の料金は昼食代ぐらいのもので、そう高くはなかった。

「なにかお悩みでも……」

そう聞かれ、青年は正直に答えた。

「いえ、ただ、霊界の人と話してみたいだけです。いけませんか」

「かまいませんよ。やってみましょう……」

霊媒は目をとじ、なにかつぶやいているうちに神がかりの状態になって声を出した。

「……お若いの。やってみないか」

男の口調で、どこかものものしかった。

「なにをです」

「この町から裏の山への道ばたに、石の地蔵がある。そのうしろの地面を掘ってみるがいい」

「はあ」

ものはためしと、出かけていった。こけのはえた地面を少し掘ると、小判が一枚だけ出てきた。売ればちょっとした金額になるらしい。

青年は霊媒のところへ行き、前回の声の主を呼び出してもらい、報告した。

「おっしゃる通りにしましたら、小判が一枚だけ出てきました」

「そうだろう」

「どういたしましょう」

「売って、好きに使うがいい」

「ありがとうございます。しかし、せめて、あなたさまの供養を……」

「それは、急ぐことはない」

「はあ」

青年は山歩きを楽しみ、都会へ戻り、思わぬ収入の金で飲んだり遊んだりした。その金が残り少なくなると、しぜんにあの霊媒のことが頭に浮かんできた。出かけてゆくと、こんなお告げがあった。

「あの地蔵からさらに山道をたどると、古びた小さな神社がある。いまは、おまいりする者もいない。その天井裏をのぞいてみよ」

「はあ」

やってみる。ほこりをかぶっていたが、油紙に包まれた刀があった。価値のあるしろものらしい。またも霊媒を通じて報告する。

「刀がありました。どうしましょう」

「売って、好きに使ってかまわないが……」

「なにかご希望がおありのようですね。どうぞ、ご遠慮なくおっしゃって下さい」

「もし、余分が出たらでいいのだが、金属探知機と、ツルハシと、シャベルとを買ってみよ」

「はい。買いますとも、すぐに。で、それからどうしましょう」

「神社のそばに、杉の木があったろう。その南から西にかけての一帯を調べてくれ。記憶がはっきりしないのだ。しかし、どこかで金属の反応があるはずだ。そこを少し深く掘ってみてくれ」

「はあ」

青年はそれをやることにした。やるだけの価値は充分にあるのだ。悪いことになるわけがないのだ。

ふんぱつして高性能のやつを買い、それにとりかかった。やがて反応があり、掘ってみると五枚の大判が出てきた。すべて順調。今度はこれをどう活用すればいいのだ。おうかがいをたててみる。

「大判が五枚です。どういたしましょう」

「売れば金になる。おまえの好きに使われても、わたしとしては文句もいえない」

「なにかお考えでも……」

「あのへんの土地を買ってくれ。十歩四方ぐらいでいい。そう高くはないだろう。周囲に松の苗木を植えるのもいいな」

「残った金は……」

「この町の石材店にあずけておいてくれ」

「はい」

土地を買い、松を植えるのには、そう手間はかからなかった。しかし、これにどういう意味があるのだろう。都会へ戻って考え続けたがわからず、青年はふたたび出かけていって、石材店で聞いた。

「あの、いつかおあずけしたお金のことですけど」

「ああ、あれね。じつは、その夜、夢のなかで声を聞いた。きょう、お金を受け取ったろうと」

「で……」

「その全部を使って石材を買ってくれともね。そして、それにきざむ文句まで。やっと出来あがったとこです。それです。そこにあるやつです」

見ると、豪華な碑が完成していた。

〈きわめて武勇にすぐれし武将なれど、戦い利あらず、この地に死す……〉

そして、姓名と死亡年月日が大きくきざまれていた。青年は言った。

「立派なものですね」

「ええ。こんな大きな仕事は、めったにありません。どこに置けばいいのでしょう」

青年は松の苗を植えた場所を教えた。そのあと、霊媒のところへ寄り、いままでのように報告した。

「おっしゃる通りにいたしました。つぎに、なにをいたしましょう」

「なにもない。これでいいのだ。おかげでわたしも満足した。もう心残りはない」

それで声はとぎれた。青年は霊媒にたのみ、なんとか連絡をとろうとしたが、もはやなんの応答もなかった。成仏してしまったのだろう。

青年は碑のところへ寄り、あらためて眺める。目立って大きい。彼は思う。これはやつの碑でもあるが、おれの碑でもあるのだ。おれの人のよさと欲のなさ、いや、欲のありすぎかな、とにかくそれをあらわしているのだ。

ある夜の客

かすかにBGMが流れている。そのバーは繁華街のこの一画でも、高級なほうだった。そう大きくはないが、客だねもよく、上品なムードで統一されていた。

いつのまにか、ひとりの老人がドアの内側に立ち、ゆっくりと左右へ視線を走らせていた。七十歳をすぎているように見える。服装は上品だったが、年齢のせいか陽気とか活気といったものとは縁が遠かった。

店のママはすぐそれに気がついて、声をかけた。

「いらっしゃいませ」

しかし、老人はそこから先に進もうとしない。入口ちかくに立ったままだ。ママは記憶をたぐってみた。こういう商売をしているため、人の顔と名前をおぼえるこつが身についている。そうでなかったら、やっていけない。見つめなおしたが、以前に会ったことはないようだ。

「はじめてのかたのようですね」

「ああ」

老人は小さい声で言い、うなずいた。しかし、それ以上の動作はしなかった。

店にはママのほかに二人の女の子がおり、お客が五人ほどいたが、出現した老人にだれもが視線をむけた。好奇心をくすぐられる。ママも、ほっておくわけにいかなくなった。

「どなたかをおさがしですか」

そんな感じなのだ。

「ああ」

「ここでお待ち合せのお約束でも……」

「いや」

「お目あての女性でも……」

「いいや」

いったい、なんで入ってきたのか。このままでは困ると、ママは少し顔をしかめて言った。

「おさがしになっているのは、どなたですの」

「わしの弟じゃ。道で見かけ、あとを追ったのだが、あいつのほうが足が早い。たしか、ここに入ったはずなのだが……」

「弟さんのお名前は……」

ママに聞かれ、老人はそれを告げた。しかし、ママに心当りはない。首をかしげて言う。

「……はじめて聞くお名前ですわ。で、お仕事はなにを……」

「わしは引退の身でな」

「いえ、弟さんのほう」

「あの時は、海運会社の部長だった。しかし、まさか生きているとはな。死んだとばかり思っていた。見まちがえでは、なんて言わんでくれ。いやしくも、自分の弟だ。あれから、一日たりとも忘れたことはない」

大声ではないが、口調ははっきりしていた。そして、その内容はみなの関心をひくに充分以上だった。まばたきをしながら、ママは言った。

「ふしぎなことですね」

「いずれにせよ、弟はここにいないようだ。となると、これ以上いても意味がない」

「でも、ここに入るのをごらんになったのでしょう。まあ、こちらにいらっしゃって、くわしくお話をして下さいません。なにか、お役に立つようなことができるかもしれませんでしょう」

とママはすすめた。老人はそれに従って腰をおろし、あたりを見まわして言った。

「立派なお店ですな」

「なにか、お召し上りになりませんか。ご遠慮なく、おっしゃって下さい」

「あまり飲んでは、からだにさわる。ウイスキーを一杯いただくかな。ストレートで。あとはなにもいりません」

それはすぐに机の上に運ばれた。ママは先をうながす。

「弟さんがなくなられたとか……」

「わしのせいじゃ。わしはずっとつとめていた商事会社をやめ、退職金で買った別荘マンションン暮しとなった。それは海岸にあり、趣味の釣りを楽しむ毎日だった。沖へ出て釣りたいが、それは簡単にいかない。わしの気持ちを察して、弟は休日を利用し、手伝ってくれるようになった。そのための小さなボートを買ってな」

「仲がいいんですね」

「ああ、仲はよかった。おたがい、ずっと独身というせいもあっただろう。わしは商事会社づとめ。外国生活が多く、家庭に縁がなかった。もっとも、各地で女遊びはしたがね」

「なつかしい思い出も、多いでしょうね」

ママが口をはさむ。ほかのお客も、老人の話に耳を傾けている。

「ああ。弟もそうだったようだ。貨物船に乗ってほうぼうの港をまわりつづけだったし、定住することがあっても、外国での支店長としてだしな。弟は、わしにとって血を分けた唯一の存在だったのだ」

「仲がいいわけですね。それで、どうなさったんですの」

「ある夜のことだ。月がなく、星々が輝いていた。弟と二人でボートで沖へ出て、釣りをした。もっぱら、わしがね。弟は空を眺めながら、ワインをちびちびやっていた。あの時は、いやに魚が釣れた。めったにないぐらいにね」

「で、なにが起ったんです」

「わからん。不意に舟がひっくりかえった。突風のせいではなかったようだ。一種の津波じゃないかな。どこかで海底地震が起ったのかもしれない。わしは海中に沈み、もがきながら浮きあがると、少しはなれて底を上にしたボートが見えた。そこに泳ぎつき、つかまっていたので助かったが、弟のほうはそのまま……」

「お気の毒に」

みなは、しんとなった。ただひとりの身よりをなくしたのだから、その悲しみは想像以上のものだろう。老人は言う。

「その事実をみとめたくなく、わしは一時的に精神錯乱におちいった。しばらく入院させられた。そのあとは、いやな思い出の地をはなれ、都会での生活となったのだ。気もまぎれやすいしな」

またしばらく、沈黙がつづいた。

お客のひとり、若い男が口を出した。

「あの、こんなことを言ったら、お気を悪くされるかもしれないんですけど……」

「わしの幻覚と言いたいんだろう」

「そうじゃないんです。なにか説明がつけられないかと考えているうちに、思い出した。どこかの店で聞いたうわさなんですけど、高齢化社会になり、ひまを持てあましたおとしよりが、奇妙な話を作りあげて、バーを回っているとか。いいえ、あなたがそうだというんじゃありませんけど……」

「それは心外だ。なるほど、そういうやつもいるかもしれん。バーはたくさんあるし、うまくできた話をひとつ作っておけば、ただで酒にありつけるわけだ。しかし、わしはちがうよ……」

老人は否定したが、口調は弱まった。

「……もっとも、そう思われても仕方ないかもしれぬ。げんに、わしの弟はここにいなかったのだからな。疑われても、文句は言えない。しかし、出まかせと思われては、プライドが傷つく。代金を払わせていただきます。金がないわけではないのだから」

なんとなく、気まずい空気となった。あわててママがとりなした。

「まあまあ、そんなことおっしゃらずに。代金とおっしゃっても、ウイスキー一杯だけ。それも、あたしがおすすめしてです。これをご縁においでいただければ……」

若い男も非礼に気づいて言った。

「すみません。ぼくの口がすべったのです。うまい話にひっかかって、会社に損害を与え、ちょっといらいらしていたのです。申しわけありません。ぼくにおごらせて下さい」

老人は立ちあがって言った。

「わかってくれればいいんだ。そもそも、わしがここへ入ってきたのが、問題のはじまり。あやまるのは、こっちかもしれない。おさわがせした」

そして、出ていった。ママは送ることを忘れ、みな、あっけにとられていた。やがて、お客のひとりが言った。

「妙な人もいるものだな。作り話かもしれないが、真に迫っていた。ウイスキー一杯だけで、しばらく楽しませてもらったんだ。安いものかもしれないぜ。ああいう話が聞けるんなら、五杯分ぐらいをおごってもいい感じだ」

しばらくのあいだ、現代において支払うに価するものはなにかといったことについて、会話がかわされた。

ふと気がついてみると、ドアの内側にひとりの男が立っている。六十五歳ぐらいか。身なりはいい。ママが迎えた。

「いらっしゃいませ。どうぞ」

またも、はじめての客のようだった。ぎこちないといった印象を与える。この店になれていないためだろう。その男は言った。

「こんなことをうかがうのはどうかと思うのですけど、少し前に、ここから出ていった人は……」

「お知りあいなんですか」

「遠くから見かけ、あとを追ってたしかめようとしたのですけど、ビルのかげで見失ってしまいました。そこで、ここへ戻ってたしかめようと……」

みなは顔を見あわせ、それから男を見つめた。ママが話しかける。

「ひとまず、こちらへ……」

腰をかけた男は言う。

「なにかご存知のようですね。ああ、よかった。こんなことを信じていただけるかどうかわかりませんが、じつは、死んだ兄にそっくりのような気がしましてね。いや、そっくりなんてものじゃない。唯一の身よりですから、まちがえるわけがない」

「お兄さんは、なくなられたんでしょう」

「そうです。わたしのせいです。ボートなんか買って沖へ夜釣りに出たのがいけなかった。とつぜん、ボートがひっくりかえった。わたしは泳いで岸へ。申しおくれましたが、そのころ、わたしは海運関係の会社にいましてね。船での生活も長く、ああいう沿岸での遭難の時にはどうすればいいか、いちおう知っていました。ボートにつかまったりしたら、海流でさらに沖へ流されてしまう……」

男は机の上のウイスキー・グラスを目にして、言った。

「……兄はウイスキーをストレートで飲むのが好きでした。そのグラスが気になりますな。ゆずっていただこうかな。指紋が残っていればいいですが。持ち帰って、たしかめたい。どなたか、明るいところで見て下さいませんか。わたしは若い人ほど視力がよくない」

もっともな話だ。グラスをコースターにのせて机に運び、それにつぐようにしている。店の者の指紋はついていないはずだ。

ママがハンケチでそっとつまみ、照明のそばへ持っていって調べ、思わず落し、それは床で割れた。ウイスキーは残っていないが、指紋どころか、口をつけたあとも残っていなかったのだ。

ぞっとした気分のなかで、ママの悩みははじまっていた。どう答えたものか。おさがしの人じゃないと帰ってもらうか。いや、ほかのお客が承知しないだろうな。酒をおごったものかどうか。話しはじめてから、お客たちが面白がってくれるだろうか。代金については、どうするか……。

好奇心

その三十代なかばの男は、高級住宅地のなかの洋風の建物のなかにいる。そこの住人というわけではない。毎晩ここへやってきて、楽しいひとときをすごすのだ。

あまり年少の者はいないが、老若男女が大ぜいいて、だれも品があり、気のきいた会話をかわす。広間の一隅にはホームバーもあって、うまい酒を飲むこともできる。しかし、飲みすぎて酔いつぶれることなどない。話のほうがずっとこころよく、そっちのほうに酔ってしまうのだ。その男もわれを忘れて会話に夢中。

いったい、いつからこんなふうに……。

と考えかけるが、たいてい、すぐだれかに話しかけられ、応答し、話すことに熱中してしまうのだ。疑問の発展しないまま。

限りなく以前からか。そんなことはありえない。どこかに区切りがあっていいはずだ。そんなことはどうでもいいことだし、それ以上に考えるのはタブーのような気もした。しかし、好奇心というやつは、芽ばえるとしまつにおえない。

「ここじゃあ、休みというものはないのかい」

男がつぶやくと、そばの青年が言った。

「休みなんかないよ、ここには」

「つまり、ずっとこうなのか」

深く息をした男に、青年は気づいた。

「あ、そうか。あなたはお客さんだったんだな。だから、そんな妙なことを……」

「すると、ここはどこなんです」

「非日常」

と青年は言い、男は聞きなおし、指先でその字を書いた。

「むずかしい言葉ですなあ」

「むずかしく考えるから、そう感じるのです。たとえば夢。だれもがある種の超能力を持っていて、どこかにあるなにかを見ているのが夢だとします。その、どこかにあるなにかが、ここだと思えばいいんですよ」

「わかったような、わからないような。で、お客さんであるぼくは、いつからここに来るようになったんでしょう」

「あの女の人に連れてこられた。お聞きになってみたら、わかるでしょう」

それは二十五歳ぐらいの、ふっくらした感じの女性だった。男は話しかけた。

「あなただそうですね、ぼくをここへ連れてきてくれたのは」

「そんなつまらないことより、しゃれたお話をしましょうよ。ある国の独裁者が民情視察に街へ出たんですって。変装してね。だれもが調子のいい返事ばかり。それも当然、変装した秘密警察の人たちばかりだったんですって」

「面白いね」

「もう少し変えたら、よりすっきりするんじゃないかしら」

「まあまあ、さっきのに答えてくれよ。なぜか知りたくなってしまったんだ。きみとここへ来た日のことが、どうしても思い出せない。おぼえていたら教えてくれないか」

「どうでもいいじゃないの、ここで楽しければ」

そう言われても、男はねばった。

「たのむ。どうか教えて下さい」

「しようがないわね……」

彼女は話しはじめた。

「……あたし、結婚して平凡な生活をおくっていたの。そしてね、ある夜、眠ってまもなく夢を見たの。中年の、趣味の悪い男にくどかれたのよ。しつっこく。あたしが拒絶したら、ひっぱたかれたわ。それで目がさめたの」

「ふーん」

「そばで亭主が、むこうをむいて寝てたわ。あたしの声で目をさましたのか、眠そうな声で、どうしたって聞くの。あたし、変な人にくどかれた夢を見たって話したわ」

「すると……」

「亭主はこっちをむいて言ったの。こんな顔かって。それが、その中年男」

「まさか」

男は思わず声をあげた。彼女はうなずく。

「そう。まさかなのよ。あたし、家を飛び出したわ。そんな無茶な世界には、いたくないでしょう。早足で歩いていたので、夜の街角であなたにぶつかってしまったんだわ。よほどあわてていたのね」

「そうだったのか」

「どこへ行くのかって、あなたに聞かれたわ。こんな世界はもういや、もっとましなところへ行くって答えたでしょう。ね、それがここっていうわけよ。ここも少しは変だけど、あっちよりはずっといいわ。少なくとも、いやなことがないもの」

「それから、ずっといつづけってわけか。ぼくも同様かい」

「あなたは、ある時間になると帰るみたい。でも、つぎの夜にここへ来れば、すぐここの空気にとけこめる。だから、ずっとここにいるような気持ちになってるのよ」

「ここから出ていって、なにをしているんだろう」

首をかしげる男に、彼女は言う。

「そんなこと、考えないほうがいいんじゃないの。それに、そこまではあたしも知らないわ」

「しかし、気にしはじめると……」

相手の女は、こんな話にはつきあえないと、ほかのグループに加わって笑いはじめた。見わたすと、この家の女主人という感じの、貫録のある女性が目に入った。男はそばへ寄って言った。

「あの、ちょっとご相談が……」

「なんですの、浮かぬ顔をなさって。ここでは悩みごとなど禁物ですし、そもそも、あるはずがないのに」

「ぼくはみなさんとちがって、ここのお客さんで、いつもある時間になると帰るとか。どこへ行ってくるのか、ぜんぜん知らないのです」

「知らないでいいのです。お客さまはほかにもいらっしゃいますが、知ろうとはなさいません。その時間、あなたは眠っているのだと思えばいいのじゃございませんか」

「夢も見ずにか。しかし、ここが夢なのかもしれない。いや、事実、夢なんでしょう」

「それでもいいじゃありませんか。人間、生きているあいだ、どうせなら楽しいほうが望ましいのでは……」

「いかなることがあっても、真実のほうを知りたいと言ったら」

「ぜひにとおっしゃるのなら、そうさせてあげますが、おすすめできませんわ。うらまれるでしょうし。またここへ来ようとしても、大変な手間が……」

「それも覚悟しております」

「そうまでおっしゃられてはね。それに、その疑問を話して回られては、ほかの人たちも困ります。せっかくうまくいっているのです。これから、裏口までご案内しましょう。そこからお出になって下さい」

出た時は暗かったが、やがて明るくなり、気がつくとベッドの上で目ざめていた。

「やはり、あっちが夢だったのか」

男のつぶやきで、妻が次の部屋から顔をのぞかせて言った。

「あなた、お目ざめ……」

「ああ」

そのとたん、男はこれからの一日の日課を思い、うんざりした。自分と妻とは、ある大金持ちにやとわれて、ここで別荘の管理をやっているのだ。それが与えられた仕事。白ぬりの大きな建物で、十人ぐらいの来客なら宿泊させられる。

妻は屋内のそうじ、男は庭の手入れ。それで一日がつぶれてしまう。庭といっても、とてつもなく広い。少しはなれた小さな山まで含まれる。その途中には花の咲く木もあり、林もある。一日に一回、その道を歩き、なにか異常はないか調べる。もっとも、山からの眺めはすばらしい。解放感といったものはある。

しかし、建物のそばの芝生の雑草とり、テラスの大理石みがきなど、単調なことのくりかえしなのだ。いつ終るともきまっていず、妻のほかに話し相手はいない。

「なるほど、大ぜい集る夢を見たくもなるわけだな」

いまとなっては、なつかしい。しかし、その夜、男はあの夢を見なかった。その次の日も、その次の日も……。

そのうち、男はふと気づいて妻に聞く。

「ぼくたち、いつからこの仕事をやっているのだっけ。思い出せない」

「ずっと前からじゃないの」

「なんで、こんな仕事をやっているのだろう。ちゃんと役割りをはたしているというのに、この別荘の持ち主が来たことがない。会った記憶がないんだ」

「そんなこと、どうでもいいじゃないの。あしたにでも、不意においでになるかもしれない。そのために、やとわれているんでしょ。考えてみれば、のんきなものよ。生活は保証されているのだし、環境はいいし。あたしがおいやになったのなら仕方ないけど」

「そんなことはない。どうも、いい条件の度が過ぎている。で、ぼくたち、いつ結婚したんだろう」

「ずっと前よ。あたしが夜の街を急いでいて、あなたとぶつかってしまった。それがきっかけで、意気投合したんじゃないの。もっとも、あたし、あんなことのあとで気分が動揺してたけどね。でも、あなたといっしょになれて、よかったわ」

それを聞き、男は少し考えてから質問した。

「夜の街ねえ。その言葉を耳にすると、なぜか精神的に不安定になる。どうして急いでいたんだ」

「話さなかったかしら。そのころ、あたし、ある会社につとめ、上役から結婚を迫られてたの。ぜんぜん好感の持てない人なので、ことわる口実に困ったわ。その人、あたしの住んでる部屋まで来たわ。体力のない人なので、腕ずくの心配はなかったけど」

「大変だったろうな」

「そこで、ある方法を思いついたの。以前からつきあっている人がいるって、その人物を作りあげて話したの。名前、学歴、顔つき、背の高さ、くせ、服の好みまでね……」

「うまい手だね」

「だけど、そう簡単には引きさがらないわ。かんじんの写真がないんですものね。うそじゃないかって、いろいろ聞くの。だから、つぎつぎと話したわ。ヘアスタイル、好きなスポーツ、その腕前までね」

「なんとかなったんだろう」

「ええ。ちょうど来客があったの。ドアをあけると入ってきたのが、あたしの話してたのとそっくりな男。なれなれしいの。それまでいた上役は、あきらめて帰っていったわ」

「その来客って、だれなんだい」

男が聞くと、妻は言った。

「あたし、聞いたわよ。どなたですかって。すると、ご存知のくせにですって」

「出まかせにしゃべったんだろう」

「そうなの。イメージを描きながらね」

「どうなってるんだ」

「わからないわ。なんだか、気持ちが悪くなってきたの。作り話そっくりの男が、タイミングよく出現したんですものね。こんな世界にいたらろくなことはないと、別なとこへと急いだの。そこで、あなたとぶつかったのよね。こうして、まともな世界に移れて、ほんとによかったわ」

男は考え込んだあげくに言った。

「たしかに、無難な世界だ。これといって妙なことはない。しかし、だからといって、ここが真実という証明にはならない。そもそも、ここの生活以前の記憶がないというのが変だ。気になるなあ。都会へ行って調べてこよう」

「およしなさいよ。なにかあったら、せっかくのこの生活がこわれちゃうかもしれないわよ」

「それも覚悟の上でだ」

そう決心したら、早いほうがいい。男は駅まで歩き、列車へ乗った。やがて都会につく。まずは別荘の持ち主をたずねるべきなんだろうが、その自宅は知らされていない。わかっているのは経営している会社についてだが、いまは夜。

ぼんやりしていると、急ぎ足の女と街角でぶつかった。男は言う。

「失礼。つい考えごとをしていて」

「あたしこそ」

女はにっこりと笑う。感じがよく、魅力的だった。なぜか別れたくなく、あとについてゆく。女は地下駐車場の、さらに下にある部屋に入っていった。

そこには何人もの人がいて、楽しげに話しあっていた。知名人のうわさ話が多かった。男もしぜんにそれに加わり、時のたつのを忘れた。そのうち、ひとりの老人が男に言った。

「ほどほどで、お帰りになっていただけませんか。悪いことは申しません」

「せっかく、いい気分になってきたのに。なぜなんです。追い立てられる体験なんて、久しぶりだ」

「あなたは、われわれとちがうのです」

「だけど、話が合うじゃありませんか。仲間に入れて下さいよ。だめなわけでもあるんですか」

「あなたは性格的に、ぶつかった女性に熱中しやすいんですかねえ。いいですか。ここは霊魂のたまり場なんです。一方、あなたは生きている。なにか共通する部分はあるのかもしれないが、根本的な差はどうしようもない。お気の毒ですがね」

「じゃあ、どうすればいいんです。真実を求めて山から出てきたんですよ。あなたなら、なんでもご存知のようだ。女にぶつかると、ぼくがどうかなりやすいなんて指摘した」

「おうちへお帰りになるのが一番と思いますよ」

「山へか。そうかもしれないが、なにかがひっかかる。本来ぼくのいるべき世界があるはずだ。そこへ行きたい。手を貸して下さい。あなたにはできそうだ」

「どうなっても知りませんぜ……」

老人の手がひたいに当てられた。ぞっとするつめたさ。

男はベッドの上で目をさました。

起きあがる。窓のそとは、なんということのない都会の光景。繁華街の近くではないらしく、眺めていて面白くもおかしくもない。

その部屋はバス、トイレつきのせまいもの。テレビはあるが、電話はなかった。小さな机があり、本や雑誌がその上にのっている。ドアをあけようとしたが、どうしてもあかない。たたきつづけたが、反応はない。窓も同様。厚いガラスで出来ている。どういうわけで、こんなところにとじこめられているのだ。

そのうち、壁の一部がスチール製の引出しといった形で、内側へ出てきた。なかをのぞくと、食事が入っていた。それを取り出し、机にのせてなれた手つきで食べている自分に気がつく。これが現実の世界らしい。なんともおかしい状態ではあるが。

しかし、なぜ……。

食器を戻そうとすると、引出しのなかにメモが入っていた。

〈シーツ、枕カバー、下着など、洗濯物があったら、お入れ下さい。あと、なにか読みたい本があれば〉

男はその裏に、そばにあったボールペンで書いた。

〈なぜ、ここに〉

その引出しを、壁に押し込む。

つぎの食事の時、コピーされた紙がいっしょに出てきた。こう書いてある。

〈あなたは時どき、ご自分のことをお忘れになるようだ。楽しい生活じゃないから、むりもありませんがね。あなたは罪を犯し、刑を受けているのです。正しくは、有罪になるところを、精神鑑定の結果、ここに隔離されているというべきでしょう。あなたは巧妙きわまる話術で、詐欺を重ねた。そればかりでなく、その話術で他人を犯行にかりたてる。形容すれば一種の伝染病で、つまり犯罪のもとなのです。そのため、他人との会話を禁止された状態におかれているのです。これも社会のためです〉

そして、こう書き加えられていた。

〈なぜか、夜の街で女性とぶつかる件についての質問がまざる。それもお忘れになるようです。夜の街で、美人の婦人警官があなたにぶつかり、そのすきに刑事たちが飛びかかった。普通だったら、逃げ足の早いあなたをつかまえそこねたかもしれない〉

男はうなずく。そうだったのか。ぐあいの悪いことに、つかまる以前の犯行のかずかずを思い出している。このせまい空間が、自分に許された場所なのか。

ひろびろとしたところに、あこがれるのも当然だ。小高い山の上で遠くを見渡したくもなる。さらには、人びととのとめどない会話のある世界へと移りたくなるというものだ。

その、せっかく手にした世界を出てきてしまった。あの洋風の家は、たしかにどこかに存在している。鮮明に思い出せる。いまも、みなが楽しげに話し合っているにちがいないのだ。

あそこへ戻れるだろうか。それには、かなりの努力がいりそうだな。まず、ここの生活にとことんまであきなくては。容易ではないだろうが、なんとかして行きついてみせる。そして、もう決して好奇心は起すまい。そういくかどうか、少し不安だが。

とにかく、こんな生活が現実であってたまるものか。

鬼が

その青年は会社の出張で、ある地方都市へ来た。その市内のホテルにとまってもいいのだが、せっかくここまで来たのだからと、そう遠くない温泉地の旅館にとまった。

湯につかり、食事をすませると、なにもすることがない。浴衣姿で外出し、小さなバーに入って女の子を相手に何杯か飲み、旅館に戻った。番頭が迎える。

「お早いお帰りですね。どちらにおいでになりましたか」

「少し先のバーだ。悪くないムードだったが、妙な客がひとりで飲んでいてね」

「いったい、どんな客です。くわしく話していただけませんか」

番頭の口調が早くなり、青年はふしぎがりながら説明した。

「四十歳ぐらいの男で、和服姿。目つきがおかしかった。にぶいような、鋭いような。ああいうのは、めったにいないな」

「その人を、はっきりごらんになった」

「いたんだからね、目に入るよ。奥の席でひっそりと飲んでてもね。ひたいの右の眉の上に傷あとがあった」

「本当ですか。ちょっとお待ち下さい」

番頭はあたふたと出かけ、若者を三人ばかり連れてきた。青年は聞く。

「なにごとだい、これは」

「あなたのごらんになった男。あれは鬼の一族なのです。あいつひとりだけが、まだ生きのびている。そして、悪さをする。あのバーだって、飲まれ損になる」

「だったら、早くなんとかすればいい。警察にたのんででも」

と言う青年に、番頭は説明した。

「そこなんですよ。普通の者には、やつの姿が見えないのです。敏感な何人かには、足音を聞くことができる。やつのにおいのわかる人もいる。かなりの老人には、ぼんやりと見えるようになるらしいが、しゃべるのがおかしくなっている。これでは、警察にもたのめない。五年ほど前、たまたまある霊能者が来たので、たのんで石をぶつけてもらった。傷あとはそれなんです。気を失ってくれなくって、やりそんじました」

「あいつが鬼とはねえ」

つぶやく青年に、番頭は言った。

「物、とくに酒がですが、いいように盗み飲みされて、防ぎようがない。若い女の人は不意にさわられたりして、いやがる。客室の戸締りが厳重でしょう。ここが温泉地として、いまひとつぱっとしないのは、そのせいなんです。助けて下さい。それの出来る能力のある人は、めったにいないのです」

「手を貸してもいいが、どうやって……」

「あなたは、常人にない能力で、見ることが出来る。首をしめて下さい。ぐったりするはずです」

「殺すってことか」

「そう簡単にはいきません。あとはおまかせ下さい。言い伝えによるまじないによって、山奥へ帰らせ、二度とわるさをしないようにさせます。それには、とりあえずつかまえなくてはならない。前回はそこで失敗したのです。これが最後のチャンスかもしれない。うまくやりましょう」

いちおう事情がわかり、青年はうなずいた。

「しかしだよ、相手は鬼となると、弱くはないだろう。ひとりじゃあ、自信がないよ」

「そこで、この三人を呼んだのです。あいつはなぜか、シュークリームが好きだ」

「鬼がねえ」

笑いかける青年に、番頭が言う。

「だから、どの店にも置いてない。温泉地にシュークリームがなくたって、だれも変に思わないから今まで知られずにきた」

「その用意はあるのですか」

「冷凍したのがあるのです。密閉状でにおいも出ないから、やつも気がつかない。それを急いで戻しています。なかが少し凍ったままだって、かまわない」

「それをどうするんです」

「あなたがあのバーへ戻って、食わないかいと言って見せる。やつの目が輝くはずです。あなたが、ひとつ投げる。片手で受け取るでしょう。つづいて、もうひとつ、べつな手で受けとめる。やつの姿は見えないが、シュークリームは見える。手がそことわかり、二人がかりで押えます。あなたは首を締めて下さい。そうなれば、足の見当もつきます。もうひとりがそっちを押える。うまくいきますよ。それで、ここも栄える」

「よし、やってみるか」

だめだったら、逃げ帰ればいい。それ以上の義理はない。あとは知ったことか。青年は三人といっしょに、バーへ戻る。やつは、さっきと同じく奥の席にいた。ショウチュウらしい透明の酒を飲んでいた。打ち合せどおり、青年はシュークリームを見せた。

「食べないかい、ほら」

二つを投げる。若者たちが飛びつく。見えなくても実体はあるらしいのだ。青年はそいつの首を両手で締めた。こっちには見えるので、いい気分ではない。やがて、ぐったりとなる。

「おとなしくなったぜ。一段落だ」

青年が言うと、若者たちは両手をしばり、そとへ運び出した。どこかで儀式をやるのだろう。青年はそのバーに残り酒を飲んだ。ひと仕事の疲れと、妙な気分を消すために。

　翌日、この温泉地の有力者らしい人物がやってきて、青年に礼を言った。

「よくやって下さった。あれには、まったく手こずっておりました。それに終止符が打たれたのです。あなたは、われわれの恩人です。宿泊代はけっこうです。それに、これはまことに少ないけれども……」

　封筒に入っているのは、札束らしい。

「それはいりませんよ。喜んでいただければ、それでいいのです」

　金を受け取って、たたりなんかがあったらことだ。みなに見送られ、青年は帰途につく。列車にゆられながら、考える。いったい、あれはなんだったのだ。鬼退治か。しかし、そんな武勇伝を信じてくれるやつがいるかな。話して回ったら、宣伝じみてくる。

　いや、待てよ。うまくおだてられ、きらわれ者の酔っぱらいの殺人に手を貸したのかもしれない。旅の青年が、酔ったあげく、鬼と思い込んで殺してしまった。とめようがなかった。やつらが口を合せれば、どうにもでっちあげられる。しゃべらぬほうが賢明かも。もう、あそこには行かないほうが……。

　さっぱり、わからん。世の中には、わからぬことがあるものだ。昔の人は、それを鬼と呼んだりしていたそうだが。

体験

ひとりの青年が医院へやってきて、医者に言った。

「一週間前の夜の十時ごろのことなんですけど、一時間ほどの記憶がぽっかりと抜けて、まったくの空白なんです。気になってなりません。で、ここの先生は、そういった分野にくわしいとうかがって……」

「一時間ぐらいなら、悩むこともないでしょう。うとうと眠ったのかもしれない。酒に酔ってそうなることもありますよ」

「いいえ、外出中のことですし、酔ってもいませんでした。ぼくは記憶力のいいほうなんです。それに、なにか重大な約束をしたような気がして、落ち着かないのです」

「会社づとめなんですか」

「大学に入ったばかりです」

「契約のようなことへの心当りは」

「ありません。だから変なのです」

「かなりお悩みのようですね。では、いちおう、やってみますか」

医者はうなずき、青年を長椅子に横たえさせた。そして、催眠逆行をこころみた。

「……あなたは、いま、一週間前の夜の十時にいます。なにをしていますか」

「夜ふけの道を歩いて、自宅へ帰る途中です。人かげはありません」

「では、もう少し歩きましょう。なにかが起るはずです」

「ええ、それが、その……」

言いたくないらしい。医者は効果を高める注射を打ち、うながした。

「それを話して下さい。なにも心配はありません」

「しかし……」

「大丈夫です。勇気を出すのです」

「そうですか……」

と青年は話しはじめた。


道のむこうから、うす青く発光する服を着た、みたこともない人物がやってきて青年の前にとまり、声をかけた。いや、声ではなく、頭のなかに伝わってくる、テレパシーだったかもしれない。

「ちょっと……」

「どなたか知りませんが、それにしても、面白い服ですねえ」

「服のことなど、どうでもいい。わたしは、ほかの星からやってきた。空間のゆがみを利用しての航行なので、ゆっくりと相手を選んでいるひまがない。だれでもかまわない。つまり、きみでもいいのだ」

他星人と知って、青年は驚きながら言った。

「なにか大問題のようですね。だったら、もっと適当な人がいるでしょうに」

「きみでいいのだ。きみを、この星の支配者にしてあげようというのだ」

「なんで、そんな……」

「この星は混乱している。それをなくすには、支配者が必要だ」

「ぼく、そんなのにはなれませんよ」

「なれるのだ。その才能をさずける。まず、ひたいにさわらせてもらうよ……」

相手はそれをやり、さらに言った。

「……それから、この一連の動作をまねして、おぼえてくれ」

奇妙だが簡単な動作だった。青年は、それをやってから聞いた。

「で、どうなのです」

「きみは超能力者になったのだ」

「望んだわけでもないのに。変な超能力だったら、持てあましてしまいます」

「いらなければ、いまの動作をやってから、他人のひたいにさわればいい。能力はその人に移る」

「いったい、どういう能力です」

「万能の力だ。金だろうが、強力きわまる武器だろうが、欲しいと念じれば、すぐに手に入る。あいつは気にくわぬと念じれば、そいつが死ぬ。だれかを配下にしたいと念じれば、どんな人間でも、人数に限りなく、命令下に入る。つまり、世界はきみの思いのままだ」

「まさか、そんな、とてもじゃないけど、考えただけで……」

それにつづけて、青年は大きなうめき声をあげた。そして、沈黙。


医者は質問をつづけた。

「それからどうしました」

答えはない。あまりのことに、その事実を受け入れかねて、記憶がそれを拒否してしまったのだろう。

医者はつぶやく。

「この若さでは、無理もないな。そのショックを味わってみたい気もする……」

ふたたび注射を打ち、青年にさっきの動作をやるよう指示し、自分のひたいにさわらせた。どえらい能力のそなわった実感がした。それにともなう、押しつぶされそうな責任感。重圧。医者はうめき声をあげ、それらのことを記憶のそとにはじき出した。

医者がわれにかえると、青年が横たわっているのに気づいた。催眠で逆行させたままのようだ。まずは、もとに戻さなくては。

「さあ、あなたは肩をたたかれると、現在の自分となって目をさまします」

それをされ、青年は目をあけ、しばらくして聞いた。

「先生、どうでしたか。れいの記憶は消えたままですが、ぜんぜん気にならなくなりました。たいしたことではなかったのでしょう。なにか、わかりましたか」

「それが、じつは、どうもはっきりしないのだ」

「もう、けっこうですよ。先生も、ずいぶんお疲れのようですね」

「こういう治療は、緊張の連続で、かなり疲れるものなのです」

「どうも、お手数をかけました」

青年は帰っていった。

医者は首を振る。いつもとくらべて、いやに疲れた。いまの青年、どんな原因でああなったのか、思い出せない。まあ、本人は満足していたからいいとするか。それにしても、どうも妙な気分だ。

そのうち、同業の医者に相談するかもしれないが、あれがそっちに移るだけのことだろう。決して表面にはあらわれない。

あの、他星からきたやつ。善意からやったのか、人類を滅亡させようとの悪意からか、そこまでは推理のしようがない。いずれにせよ、人類はおくれているのだ。しかし、拒絶反応というものをそなえている。そのおかげで、当分はそう大混乱におちいることなく存在しつづけられるというわけだ。

夜と酒と

その青年は三十歳に少し前。会社づとめをしていた。しかし、仕事はちょっと変っていた。試作品製造室の勤務。企業秘密に関する部分も多いので、しゃべることに慎重さを求められた。同じ社の仲間との会話にも、限界があった。つまり、あけっぴろげでの話し合いは、できないのだ。

郊外の私鉄の駅でおり、青年はアパートの一室に帰ってきた。まだ独身なので、そう広い部屋ではない。食事は途中ですませてきた。あとは眠るだけ。

「やれやれ、このところ忙しい日がつづいたなあ」

つぶやきながら青年は冷蔵庫から氷を出し、ウイスキーの水割りを作り、ベッドに腰をかけて飲んだ。いつからか、これが習慣となってしまっている。

自分では意識していなくても、あれこれ頭を使う仕事なのだ。同業の各社との、目に見えない競争でもある。いつ出し抜かれるかも、しれないのだ。

水割りの、おかわりを作る。酔いは精神的な疲れを、いやしてくれる。うまい。こころよい。青年は、この酔い心地を味わうために、昼間の仕事をやっているように思うこともあるのだ。

なにげなく、目をあげた。

すぐ前に、若い女が立っていた。青年は低く短い叫び声を口にした。

さっき帰ってきて、そとから鍵をあけ、なかへ入って鍵をかけた。そのあとから入ってきたはずはない。また、せまい部屋だ。かくれるところだってない。なんらかの方法で入りこんでいて、どこかにひそんでいたということもありえない。それらのことを一瞬のうちに考え、青年は結論を出した。

これは幻覚にちがいない。ためしにと、手を伸ばしてみた。女のからだにとどいているはずなのに、触感はなかった。たしかに幻覚だ。

手のグラスに目をやる。アルコールのせいだろうか。かもしれない。そんなことを、なにかで読んだ。毎晩、眠る前に、なんとはなしに飲んでしまっているからなあ。しかし、若い女とはね。ふつう、アルコールでの幻覚というと、もっといやな生物の形をとるはずなのだが。

青年は女を見つめなおした。たしかに、いい女だ。二十歳ちょっとか。ほっそりとして、色白で、細おもてで、切れ長の目。ブルー系統の、地味なデザインの服を着ていた。そのため、品のいい印象を受ける。

これが、もしかりに、ピンクのぺらぺらしたものをまとっていたりしたら、ちがった感じを受けるだろうな。その場合、自分がどう思うか、見当もつかなかった。まあ、こういう幻覚としてあらわれたのだから、それをみとめるべきなのだろう。

それにしても、こっちはどうすればいいのだ。現実の女性なら、つきあいようもある。迷いつつグラスを重ねているうちに、酔いが回ってきて、眠ってしまった。

つぎの朝、それは消えていた。しかし、夜になって帰宅し、例によって酒を飲みはじめると、またもあの女が出現した。

「あれあれ、今夜もか。幻覚とはいえ、美人でよかったよ。ひとりで飲むのは、あじけない。酔いが発散しないから、ついつい量がふえる。そのあげく、こんな幻覚を見るようになったのだろうが」

青年がつぶやくと、女は言った。

「ただの幻覚じゃないかもしれないわよ」

「や、声を出したぞ。幻聴も加わったというわけか。手がこんでいるな。いや、重症というべきなのかな」

「幻覚や幻聴で処理なさるのがお好きなようね。ほかの場合を考えてみようとはしないの」

「幻聴と会話をするとはね。しかし、ほかになにかあるかな」

「夜に出現し、実体がないのに見え、声も聞こえる」

なぞなぞだ。そう言われ、しばらく考えて青年は言った。

「そうか。すると、あるいは幽霊……」

「ありうることでしょう」

「そりゃあ、ありえないことではない。しかし、もしこの部屋がのろわれた部屋だったら、もっと早く出ていていいはずだ。また、ぼくがだれかのうらみをかったとも考えられない。心当りが、まるでない。新製品開発でおくれをとった他社の人がくやしがったせいにしても、おかどちがいというものだ」

「ずいぶん分析的に考えるかたね。そんな古い考え方にとらわれず、もっといろいろあるかもしれないじゃないの」

「たとえば……」

「酒を飲むと出現する幽霊とか……」

あまりのことに、青年はなんと言っていいかわからず、グラスを重ねた。この女、幻覚でなく、幽霊なのかもしれない。しかし、こんなのがあるのかなあ。第一に、恐怖感がまったくない。それどころか、なにやら親近感を抱かせる。考えながらグラスを重ね、青年はいつのまにか眠った。

つぎの夜も、青年が酒を飲みはじめると、その女は出現した。

「なるほど、またも出た。すると、やはり酒を飲むと出現する幽霊か」

「ええ」

「しかし、そんなの、聞いたことがない。おとぎ話にも民話にも、たぶんないよ」

「理屈好きなかたねえ。でも、理屈なんて、どうにでもつけられるものよ。人間は、酔うと心が開かれてくる。自分でも気づかずにいる、ある種の感覚が鋭くなる……」

「すなわち、酔うとぼくの超能力が高まり、いつもは見ることのできない霊的な存在が、わかるようになるというわけか。うん、ありうるかもしれない」

そのつぎの夜も出現した。青年は女に話しかける。

「超能力で見える幽霊とはなあ」

「そうもいえると言っただけよ」

「ほかに、解説のしようがあるのかい」

「あなたは仕事熱心で、気楽に話せる同僚もあまりいない。つまり、精神的に孤独ってわけ。それに、このほうがもっと重要なことだけど、まだ独身でしょ。それらが重なりあって、潜在意識のなかから、女性が形となって出てきた。需要に応じて供給が生じたの。それがあたしってことも、考えられるでしょう」

「そうだな」

青年はうなずく。女は彼をからかい、楽しんでいるようでもあった。もっとも、それは決して不快なものではなかったが。

というわけで、女は毎夜、青年のところにあらわれた。ものさびしげにだまったままの、いわゆる幽霊でなく、あれこれ会話が楽しめるのだ。時には、彼女が非実在のものであることをつい忘れ、肩をたたこうとし、あらためて幽霊と気づくこともあった。

ある夜、青年は駅から公園を抜けて帰宅しようとした。いつもは商店街をまわって、食事や買物をして帰るのだが、つきあいで食事をすませたため、近道を利用したのだ。

公園のベンチに、だれかがいる。女性であり、どうやら苦しがっている。うつむいて、息をついていて、ただならぬ感じがする。青年は近よって声をかけた。

「どうかなさいましたか」

「いいの。ほっといてちょうだい」

あえぎながらも、そっけない返事があり、彼女の手からなにかが落ちた。暗くてよくわからないが、薬のびんのようだ。こうなると、言われたからといって、ほっとくわけにもいかない。

青年はかけ出し、公衆電話で救急車を呼んだ。それはすぐに到着し、青年は同乗して、近くの病院に行く。彼女は治療室へ運ばれ、青年は事情を話して一段落。

その夜、酒を飲んだがなにもあらわれなかった。ひとさわぎのあとなので、それどころではないのだろう。

つぎの日、青年は少し早目に会社を出て、昨日の病院へ寄った。どうなったのかを知りたかったのだ。担当医に発見報告者ですと告げると、病室へ案内してくれた。

入ったとたん、青年は声をあげた。

「あ、あなたは……」

そっくりだったのだ。夜ごと出現したあの女と。いや、同一人物としか思えない。しかし、ベッドに横たわる女は、ふしぎそうな表情で、とまどいながら青年を見ている。

医師が女に説明した。

「このかたですよ。公園であなたをみつけ、通報なさったのは。もう少しおくれたら、やっかいなことになってたでしょう」

「あら、そうでしたの。すると、お礼を言うべきなんでしょうね……」

その二十歳ちょっとの女は、ぽつりぽつりと話しはじめた。求めた死をじゃまされはしたが、青年の好意と行動はみとめなくてはならない。彼女は地方の小さな町で育ったが、事情があってそこにいたくなくなり、都会へ出てきた。ある会社につとめ、その社員寮で生活し、まあまあの日がつづいていた。しかし、仕事上のまちがいをしでかし、会社に損害をかけ、やめざるをえなくなった。といって、くにに帰ることもできず……。

「なにも、そんなことぐらいで、死を選ぶことはないでしょう」

「でも、ほかにどうしようもなくて……」

「なんとしてでも、生きるべきです。そうだ。ぼくのアパートのとなりの一室があいたままだ。管理人にたのんで、しばらく使わせてもらいましょう。ここが住所です」

青年はメモ用紙に書いて渡した。

「ありがたいけど、そこまで、ご迷惑はかけられませんわ」

「気にすることはありませんよ」

ほっておいてはいけないという気がしたのだ。こうなったのも、なにかの因縁にちがいない。

それから二日後。休日だった。その女は身の回りの品をつめたカバンを持って、青年の部屋へやってきた。それを迎えて言う。

「もういいのかい」

「ええ、病気じゃないんですもの ね。ゆくとこがないんで来ちゃったけど、ほんとにいいんですの。あたし、気は進まないけど、くにに帰ってもいいんだけど」

「かまわないよ。きみをほっておく気になれない。なぜか他人とは思えないんだ」

青年は管理人と交渉した。保証人になってくれるならと承知し、商店街での求人を聞いてみましょうとも言ってくれた。

青年の孤独は解消された。会社から帰っても、ひとりではないのだ。合図をすると、隣室から彼女がやってきて話し相手になってくれる。彼にとっては、すでに親しい女性だ。しかし、彼女にとっては、そうでない。いずれは好意を持ってくれるようになるだろう。そうなったら……。

青年は彼女を相手に、酒を飲む。以前のあれがダブって出現するかと思ったが、そんなことはなかった。

「前にどこかで会ったことはないかな」

と聞くと、彼女は首を振る。

「さあ、どうかしら。あたしは記憶にないけど」

「会ったような気がするんだがなあ」

「既視感というのかも、しれないわよ。はじめて訪れた土地なのに、前に来たことがあるような気がすることって、あるようよ」

「人に関しても、それがあるってわけか」

それにしても、妙な気分だった。こんなような形で知り合えるとは。いずれ、なれるだろうが……。

しかし、そうはならなかった。

何日かたった、ある日。女は手紙を残して、どこかへ消えてしまったのだ。こんな内容。

〈……あなたがお酒を飲みながら、あたしをごらんになる目つき。どうも、しっくりしないのです。いい形容が思い浮かびませんが、あたしを実在の人間として、お感じになっていないようなのです。思いすごしかもしれませんが、気になってならないのです。いろいろとご親切にしていただき、ありがたく存じますが、あたしはここにいないほうがいいようですの

で……〉

彼女がいなくなって、青年ははじめてことの重大さに気づいた。出生地も、つとめていた会社も、まだ聞いていなかった。病院へ行ってカルテの住所を教えてもらい調べたが、存在しない町名。さがすための手がかりは、なにひとつ残っていない。

青年の思いは、つのる一方。足を棒にして歩きまわってでもとの決意をかためても、どっちへ行っていいのかわからないのだ。

自室に帰り、酒を飲む。目の前に彼女があらわれた。

「帰ってきてくれたのかい」

「そうよ。すべては、もとへ戻ったの」

青年は目を輝かし、もう離さないとばかり、手をにぎろうとした。しかし、なんの手ごたえもない。

「あ、あの、酒を飲むと出現する幽霊が戻ってきたというわけか」

「そういうことね」

「出現してくれて、ありがたいというべきかどうか」

「いずれにせよ、あなたの心が作り出しているのよ。どう、心機一転、グラマーな女性を心に浮かべるよう努力してみたら」

「そうもいかないよ。あの子のことが忘れられない」

そんな日がつづいた。

あの女は、どこへ消えたのだろう。思い出が薄れてくれればまだ救いなのだが、そっくりな幻が毎晩、目の前に出現するのだ。ものたりなさで、いらいらする。精神的な空白が残ったまま。

会社の帰り、感じのいい新しく出来たバーを見かけ、そこへ入ってみた。カウンターにむかってひとりで飲んでいると、声をかけられた。

「はじめてのかたのようね。よろしく」

この店につとめている女の子のようだ。青年はふりむき、目をみはった。

「あ、ここにいたのか」

その女は首をかしげて言った。

「どういう意味なの。あたし、お会いするの、はじめてだと思うんだけど」

「そうか。別人だったのか。しかし、それにしても、よく似ているなあ」

「それ、女性によく使う手なの、それとも、本当にだれかに似ているの」

「似てるんだ。そっくりだよ」

「聞かせてよ、そのお話。少しだけど、あたし、お酒を飲めるの」

女はそばの椅子にかけた。青年はふと思った。もしかしたら、わけはわからないが、ぼくはなにか好ましくない循環に巻き込まれたのでは……。

マイナス

その男は外国を旅行した時、古道具店でペンダントのようなものを買った。かなりの年代をへたものらしい。鎖の部分はついていなかったが、キーホールダーに使ったら、しゃれているのではなかろうか。

帰国の飛行機のなかで、エアポケットを通過した瞬間、彼だけはベルト着用を怠っていたので、椅子からころげ落ちた。また、空港の税関で、麻薬のビンを発見され、さんざん油をしぼられた。出発空港のトイレで、面白い形のビンが落ちているのをみつけ、ついポケットに入れたもの。まさか中身が麻薬とは。

家に帰りつくと、時差ぼけがきっかけとなってか、不眠症に悩まされるようになった。医者にかかったが、なかなかなおらない。

男はもしかしたらと思い、学生時代の友人で宗教や神秘の分野にくわしいやつをたずね、相談した。

「どうも、ろくなことがつづかない。こういう妙なものを買ってからだ。そのせいだろうか」

「うむ、マイナスのマスコットか。話は聞いたことがある。対立国を弱めるため、そこの王へのおくり物にまぜるといった使い方をしたらしい。しかし、これがそうかとなると、断言は……」

本を調べたが、似たような品の写真はのっていない。拡大鏡でのぞいたが、見たこともない文字。図形もなにを意味するのかわからない。どうやら時のかなたに消えた禁断の異教の成果か、のろいの魔力がかかっているのか、そんなところらしい。

「気になるなあ」

頭を抱える男に、友人は言った。

「そう思いはじめたりすると、またも、ろくでもないことが起る。どこかへやってしまうのがいい。しかし、埋めたり川に投げたりしてはいけない。もし本物だったら、たたりがある。そっと他人にやってしまうことだな。渡された人は気の毒だが、欲しいと思って手に入れたからには、それ以外に方法はない。これはたしかだ」

「そういうものか。やっかいなことだが、仕方ないな」

帰宅して、男は考えた。彼のつとめる会社の、かつての取引先の若主人を思い出した。親から店を引きついだはいいが、どうもうまくいかず、取引先からはずされたのだ。はたで見ていても、不運な星のもとに生れたとしかいいようがない感じ。事実、占い師に見てもらうたびに「よくありませんなあ」と言われるそうだ。

あいつなら、かまわないだろう。景気のいいやつにやって没落されたりしたら、気がとがめる。また、あれをもらってからだと、うらまれるかもしれない。ところが、あいつなら、いずれにせよ、ろくなことのない人生、どうってことも、ないだろう。

男はたずねていった。生きていてくれればいいなと願いながら。そいつは、生きていた。しかし、あわれきわまる生活だった。生活保護の制度があるので、飢え死にすることはないが、まあ最低のものだった。もちろん、ひとり暮し。

「よく来てくれたな。久しぶりだね」

喜ぶ相手に、男は言った。

「近くまで来たのでね。このあいだ外国へ行って、マスコットらしきものを買った。きみにあげよう。運がむいてくるかもしれない」

「ありがとう。その気持ちだけでも、うれしい。あれから、いろんなことをやったが、みな失敗。よくよく、ついていないらしい」

「まあ、元気を出して、がんばるんだな」

男はそこそこに引きあげた。やましいことをしているので、長く話している気にはなれないのだ。しかし、まあ、これで一段落。

しばらくのあいだは申しわけないと思っていたが、やがてそれも忘れ、一年がたった。

休みの日。男のところへ、高級大型車へ乗った人物がたずねてきた。だれだかすぐにはわからなかったが、以前にマスコットを押しつけたあいつだった。

「これはこれは……」

目を丸くして迎える男に、相手は言った。

「なんとも、お礼の申しようもない。あれ以来、うそのように人生が変った。地方都市の親類に金をねだりに行った時、近くの谷川のそばを散歩した。人の歩くようなとこじゃないけどね、静かなんだ。そこで、石につまずいてころび、痛さでしばらく立てなかった。ふと横を見ると、草にかくれているが横穴がある。われながら、ひま人だね。這って入ってみると、箱があった。あけたら小判が二十枚ほど」

「ちょっとしたものだね」

「ああ。持った重みから、本物らしい。あまりの感激に、へなへなとなった。そして、そのうち気づいたのだが、地面が少し暖かい」

「なぜだろう」

「予期しないで手に入れた小判だ。それを売り、ものはためしとばかり、業者をやとって掘らせてみた。百メートルほどで、温泉が出た。普通だと、数百メートルは掘らぬとならぬそうだがね」

「それはすごい」

「こうなると、資金の出し手はいくらでも出てくる。給湯会社を作り、旅館に供給することで、金が入る。なにしろ、原料も加工もいらないしね」

「もうかる一方か」

「ああ、金なんか、ある程度あればいい。そこで、事業を応援してくれとたのまれるたびに、金を出した。それがことごとく順調だ。運転手つきの車にも乗れるようになった。すべて、あのおかげ。小判を一枚だけ買い戻して、お礼に持ってきた。ぜひ、受け取ってくれ」

「いただこう。だいぶ景気がいいみたいだから……」

と言いながら、男は考えた。こいつは、なぜこうも一変したのだろう。ありとあらゆる不運の要素をしょいこんでいたところへ、さらにマイナスのマスコットを手にした。そのとたん、すべてがプラスへと変った。トランプにそんなルールの遊び方があるが、それと同様の現象が起ったのだろうか。

相手は言う。

「もう逆戻りはしないだろう。なんだったら、あのマスコットをおかえししようか。ひとりでもうけているのも、どうかと思ってね……」

こうなると、考え込まざるをえない。さっきの仮説のように、マイナスのマスコットかもしれない。しかし、プラスのマスコットかもしれないのだ。すべての不運を押えつけるほどの強力な。

買ったあと、ちょっとしたいやなことがつづいた。しかし、それもこいつが川のそばでころがったのと同じく、いいことへつながるものだったのかもしれない。その判断はつけようがない。男は言った。

「いいよ、あげたものだ。取り戻すなんて、けちなことはしたくない。いまの生活で満足している」

「欲がないんですねえ」

とんでもない。欲はありすぎるくらいある。ただ、決断力がまるでないだけなのだ。

ある一日

その青年は毎日を、安アパートの一室でぼんやりとすごしていた。失業中なのだ。ひまだからと遊びに出かけようにも、そんな金の余裕はなかった。

頭は悪くないのだが、運が悪かった。大学を出て、その時、日の出の勢いで成長している会社に就職した。友人たちにうらやましがられたが、それはわずかな期間だった。その会社、派手な営業は外見だけで、内情は苦しく、金繰りがつかなくて倒産。こうなると、どうしようもない。まともな会社に、すんなりと移れるわけがない。

失業保険のもらえるのも、まもなく終る。多額ではないが、各所に借金を作り、その返済のあてもない。なんとかしなければ……。

そんなことを思いながら、眠りにつく。

青年が目をさますと、豪華きわまる部屋のなかにいた。うす暗い照明のなかで、天井、壁、そこに飾られている絵、家具などが見えた。夢のつづきのなかにいるようだな。夢としか考えられない。ふたたび目をつぶってみたが、ねむけは戻ってこない。ふかふかのベッドの上にいる感じは、つづいている。

こうなると、好奇心は高まる一方。目をあけ、ベッドからおりる。足の裏に、厚いジュウタンの感触があった。その上を歩き、かすかに光のもれているカーテンのはじから、そとをのぞいた。

高原地帯で、少しむこうに森があり、そのかなたには美しい山々が見える。ここは別荘らしく思えるが、いわゆる別荘地ではないらしく、見わたした限りではほかに家はなかった。カーテンを引いて朝日をなかに入れたかったが、うまくいかない。

「いったい、ここはどこなのだ」

つぶやきながら、あたりを見まわす。広い部屋には三つもドアがついていた。そのひとつをあけてみる。自動的に照明がついた。そこはバスつきの洗面所だった。かなり広く、高級な模様のタイルが使われ、さわやかなかおりがただよっていた。すごいものだな。まずは、水でも飲むか。

なにげなく鏡をのぞきこみ、青年はぎくりとした。そこには、かなりの年配の男の姿がうつっていた。どうやら、それが自分であることは、なんとなく見当がついた。それにしても、玉手箱をあけた浦島太郎のような現象が、わが身に起るとは。

「まるで、悪夢だ」

しかし、目ざめたあとであり、夢ではないのだ。なにかのいたずらかもしれぬと、顔を洗ってみた。石けんをつけてこすったが、若々しさはあらわれてこなかった。といって、老齢を感じさせるような血色ではない。

事実はみとめるとして、前夜からこんなになるまでの年月は、どこへ消えたのだ。なんの記憶もない。豪華な生活と引きかえに、魂を売り渡したおぼえもない。

鏡のそばにあるボタンを押してみた。まもなく、ベッドルームのドアのひとつにノックの音がし、中年の男が入ってきて頭を下げた。それから手をのばして、ベッドのそばのボタンを押した。カーテンが開き、室内が明るくなった。よく見ると、そいつは召使いか執事といった感じで、こう言った。

「お呼びですか」

「ああ、わたしがだれか知っているか」

「お目ざめ早々、ご冗談は困ります……」

それにつづけて、うやうやしく名前を口にした。まさしく自分の名だ。

「どうだ。わたしは、いつもとどこかちがっていないか」

「そんなことは、ございません」

「そうか。さて、なにをしたものかな」

彼がつぶやくと、相手は言った。

「朝食の用意が、できております。ここへお持ちいたしましょうか、食堂でなさいますか」

「食堂でしよう」

そう答えてついてゆくと、これまたバラエティに富んだ朝食が並んでいた。椅子にかけ、まずジュースを飲む。いやにいい味だった。パンも何種類もそろっている。食事をはじめたが、執事はそばに立ったままだった。ためしに聞いてみる。

「新聞はないか」

相手は妙な表情になって言った。

「なにをおっしゃいます。俗世間とのつながりを、すべて絶ち切っての休養ではございませんか。ですから、ここにはニュースやビジネスを受信する、いかなる設備もおいてございません」

「そうだったのか」

「お忘れとは。すると、ここへおいでの前にお飲みになった、日常生活忘却剤の量が少し多すぎたのかもしれません。しかし、それも、たまにはけっこうではございませんか。のんびりできます」

「しかし、万一、わたしが急病になったらどうする」

「それもお忘れのようですね。わたくしは医学も学んだのです。手におえない、それこそ万一の場合が予測されれば、伝書鳩を飛ばします。古風で優雅な通信手段ですね。二十時間ほどで、ヘリコプターがやってきます。まあ、そんなご心配はいりません」

天気がよく、気温もほどほどだ。いったい、ここはどこなのだろう。また、この年齢になるまでのあいだに、世の中はどう変化したのだろう。知る方法はないものだろうか。彼は聞いた。

「近くの町まで行ってみたいのだが」

「そんなお考えは、よろしくございません。また、不可能でございます。なんの乗り物もございませんし、迎えに来るのは四日後でございます。そのへんの散歩にとどめておくのが、よろしいかと存じます」

「そのようだな」

わけはわからないが、ぜいたくきわまる休日のようだ。となると、ここにいたままというのも意味がない。外出しよう。

パジャマをスポーティな服に着かえ、建物から出る。細いが舗装された一本道がつづいている。行けるところまで行ってみよう。迷うこともないわけだ。

ゆるやかな下り坂の道をたどる。家はまったく見あたらなかった。すれちがう人もない。どうやら、そんなふうになっているらしい。人工的なものは、歩いている小道だけだ。

そう気がつきはじめた時、小さな湖のほとりに来ていた。彼はそこに腰をおろす。白い雲のうつる水面を見ながら、なにか思い出せないかと、努力してみた。ぜんぜんだめ。

「日常生活忘却剤か……」

それが適量だったら、どの程度に忘れるのだろう。妻子があるような気がするが、どんな状態なのか、具体的なイメージがわいてこない。休養の期間が終ると同時に、それらをいっせいに思い出すのだろうな。

道を戻って、もっと高いところへ行って眺めるとするか。彼は登り坂の道をたどる。やがて、息切れがしてきた。からだが若くないのだ。別荘に入って、ひと休みするか。

「昼食にいたしますか」

執事らしいのが言い、それを用意した。うまい。あいつの料理の腕がすぐれているのか、進歩した冷凍食品のせいか、どちらとも推察できなかった。聞いてみたいことはいっぱいあったが、口にしなかった。たぶん、なにも答えてくれないだろう。休養のさまたげになりますと。

食事のあと、彼は別荘のなかを、ひとわたり調べた。ベッドルーム、バスルーム、食堂、執事の部屋、調理室。それだけだった。あるいは地下に食料保存室、発電室などがあるのかもしれないが、入口はわからなかった。

音響装置のたぐいもない。本も雑誌も、活字で印刷されたものは、なにもなかった。あるものといえば、この家を除けば、天然の光景ばかり。それを楽しまなければいけないらしい。

そとへ出て、さっきとは逆に、登り坂の道をたどってみた。しかし、一時間ぐらい歩いた程度では、そう遠くまで見わたせる高さには行けない。彼は別荘に戻った。

「ビールを飲みたい」

「お持ちいたします」

ほどよくひえていたが、そのびんにはラベルがなかった。文字があると、仕事を連想するからかもしれない。食堂の長椅子に横たわると、うとうとし、目がさめると日が傾いていた。夕暮れの景色もよかった。しかし、暗くなると、なにもすることがなかった。彼は執事に言った。

「退屈だな。トランプかなにかをやらないかい」

「とんでもございません。勝負事に関した品は、なにもおいてございません。頭の休養も大切でございます。仕事へお戻りになれば、退屈がいかに貴重なものか、おわかりになりましょう」

「じゃあ、なにをしたらいい」

「入浴などは、いかがでしょう。そのあと、お酒を飲みながらのお食事……」

「そうだな。夕食は、あっさりしたものがいいな」

ゆっくりと入浴し、夕食となる。空の星がきれいだった。ワインがつがれたが、それにもラベルはなかった。どこ製のかを味で知る才能などない。あるいは忘却剤の作用かもしれない。

こころよく酔いがまわった。

「さっき昼寝をしたが、寝つけるかな」

「大丈夫でございますよ。それについては、ご安心下さい」

眠りをうながすしかけでもあるのだろう。彼はベッドに入る。


朝になってみると、そこはいつもの安アパートで、若さもそのままだった。

「やはり夢だったのか。それにしても、リアルですばらしかったなあ」

なにげなくテレビをつけ、そのうち、昨日という一日を飛び越えていることに気づく。長時間にわたって、眠りつづけたのだろうか。そんな気分ではないが。

あの現象は、なんだったのだ。どう考えても、わからない。他人に言えば笑われるだけだろう。自分だけの秘密にしておくか。

それから数日後、青年は偶然、道で学校の先輩に会った。仕事がなくてぶらぶらしている事情を話すと、それなら手伝ってくれと言われた。小さな会社を経営しているのだ。

二年ほどそこで働き、商売のこつを身につけ、彼は独立して自分で事業をはじめた。

すべて順調とはいえなかったが、なんとか業績をあげ、二十数年がすぎ、安定した状態となった。経験のつみ重ねがあるので、大きな失敗をすることもないだろう。家庭的にも恵まれた。

ある日、友人の紹介でセールスマンがやってきて言った。

「働き盛りで、大変でございましょう」

「ああ。仕事が面白くてならない。事業というものは、盛んになればなったで、さらに利益を上げたくなるものでね」

「一種の魔力でございますな。それには、健康が第一でございます。それと、時たまの完全な休養が」

「なにかいい方法でもあるのか」

「はい。そこで、会員制の高級休養設備のご利用を、おすすめにまいったわけです。仕事や社会的事件のたぐいから離れて、肉体的にも、とくに精神的にも、完全な休養が得られるのでございます。費用もかかりますが、会員のみなさまにはお喜びいただいております」

「そういうものかもしれぬな。たしかに働きづめだった。休養も大切だろう。会員となるか」

指定の日、ヘリコプターでその別荘へと送りとどけられる。あ、若いころに夢で見たのは、これだったのだな。あるんだなあ、そういうことって。彼はあの体験を、いまや夢と思いこむようになっていた。

着いた日、解放感のなかで眠りにつく。

目をさますと、彼は安アパートのなかにいた。すぐに気がつく。からだじゅうに若さがみなぎっていることを。

二十数年の歳月によって、徐々に失われた若さ。社会的な成功と引きかえに失った若さ。

それが戻ってきた。夢かもしれない。しかし、夢でもいい。これだけリアルなのだ。彼はこんなことは一日しかつづかないと、直感的に知った。一日だって、いいではないか。天から与えられた、すばらしいプレゼント、二度とない機会。

やってみたいこと、やるべきことは、いくらでもあった。アパートからそとへ出る。

「さあ、充実した悔いのない一日を……」

ひとり叫び、ポケットへ手を入れた。しかし、指にさわったのは小銭が少し。部屋へ戻ろうと思ったが、そこにもたいしてありはしないのだ。借りようにも、いま応じてくれそうな人は、頭に浮かばない。

あてもなく、歩きまわる。そのあせりのなかで、この貴重きわまる時間は、容赦なく流れてゆく。

書斎の効用

「おめでとうございます。どうも、どうも。まことにけっこうなことで……」

その声を聞き、男は驚いた。

場合が場合だ。夫婦と三歳の男の子との三人ぐらし。会社づとめ。アパート生活から脱出しようと、節約に節約を重ねて少しずつ金をため、銀行から融資を受け、親類からも借りて、三十歳で、郊外の郊外といったところに、やっと庭つきの一軒家を手に入れた。もっとも、庭と呼べるほどの広さではないが。

通勤にはとてつもない時間を要するが、とにかく独立家屋に住めるようになったのだ。もう、となりの部屋の住人に気がねすることもない。二階の一画には念願の書斎を持つことができた。小さな机と椅子、壁には書棚。ささやかきわまるものだが、自分の城を持てたのだ。読書もできるし、時には仕事に関係した資料を調べることもできる。ひとり考えにひたることだって……。

その椅子に腰をかけ、感無量を味わおうと、ほっと息をつきかけたとたんだったのだ。ふりむくと、和服を着たぱっとしない小柄な男性。四十歳ぐらいか。いやに、にこにこしている。そいつに聞いてみる。

「どなたです。それに、おめでとうとは」

「ついに新築落成となったわけでしょう。おめでたいじゃあ、ありませんか」

「そりゃあ、ぼくにとってはね」

「おかげで、わたしも出現できたし」

「出現ねえ……」

相手を見つめ、男は考えた。妙な表現をするなあ。そういえば、どことなく、普通の人間とちがう。現代と無縁というか、かげが薄いというか、なにかが不足しているのだ。男はつぶやきをつづけた。

「もしかしたら、あの……」

「そうなんですよ。幽霊です。どうも恐縮です」

「なんでまた、急に……」

「待ちくたびれていましたよ。だって、そうでしょう。ここはずっと山林地帯だったのですよ。道からもはずれていた。そんなとこで出現できますか。意味がない。それが、不動産業者が宅地造成をやってくれ、あなたがここを買い、家を建てた。観客ができたので、わたしの出番となったわけです」

それを聞き、男はため息をついた。

「やれやれ、なんてことだ。あれだけ苦労したあげくに手に入れたこの家が、のろわれた土地の上とは。からだじゅうの力が抜けてゆく思いだ」

「がっかりなさることは、ありませんよ。おたがい、うまくいきますよ。こうなったのも、なにかの縁です」

「しかし、幽霊なんだろ」

「それはそうですが、こわくはないでしょ。ね」

相手の笑い顔はつづいていて、なんとなく、こっちまで楽しくなってくる。

「そうだな。しかし、妻子がどう思うか」

「こうしましょう。あなたひとりの時に、この部屋に限って出ることにしましょう。お子さんに見られてはまずい。すぐ友だちに話してしまう。うちには本物のおばけがいるんだ、なんて」

「だろうな」

「奥さんだって、同様でしょう。おびえるのなら、いいほうです。自慢げに話して回るかもしれない。すると、たちまちテレビ局から人がやってきて、一瞬のうちに全国的に有名になってしまう時代ですからね。そうなったら、あなた、ひとり静かに読書なんてわけにはいきませんよ」

「それも困るね」

「わたしも、一日中ずっと出ずっぱりじゃない。ひとりでいたいと合図なされば、消えてあげますよ。いやがられてまで出現したって、つまらない」

つぎの日、男が帰宅し、食事をすませ、テレビも面白い番組がないので書斎に入ると、やつはまたも出現して言った。

「お疲れでしょう。生きてるって、大変なことですからね。そこへゆくと、わたしなんか、のんきなもんです。ふらりと出てきて、たあいもないことをしゃべっていればいい。どうも、申しわけありません」

男はつくづく眺めて言った。

「しかし、幽霊らしくないなあ。にこにこしている。そこがふしぎだ。いったい、事情はどうなっているんだ」

「わたしはね、この先の村で農業をやっていた。ある晩、となり村の知りあいの家に寄って、酒をごちそうになった。その帰りのことですよ」

「なにがおこった」

「月の明るい夜でしたね。帰りの道で、むこうから来たふとった男に会った。こっちも酔ってたし、そいつはとてつもなく愉快なやつでね。話してるうちに百面相をやってくれた。村の連中のをまねてね。うまいのなんの。いま考えると、あいつ、狸（たぬき）が化けてたのかもしれないな。当人の顔がどんなだったか。どうにも思い出せない」

「で……」

「大笑いしようとしたとたん、死んでしまったんだ。わたしがですよ。林のなかへさそいこまれ、石にでもつまずいて頭を打ったのかもしれない。なにかの発作で死んだのか、盗賊にぐさりとやられたのか。いずれにせよ、思いを残して死んだのです」

「それで笑いつづけているわけか」

必要に応じてといっては変だが、そんな感じで幽霊は出現した。会社でいやなことのあった日は、なぐさめてくれた。はじめての仕事で不安な前日は、はげましてくれた。具体的なアドバイスなど出来るわけはないが、笑いによって緊張をほぐし、リラックスさせてくれ、こっちまで笑いたくなるような気分にしてくれるのだ。

そんなこととは知らない夫人は、そのうち亭主の変化に気づき、うれしそうに言った。

「あなた、このごろ家で当り散らさなくなったわね」

「つまりだ、人間的な成長さ。書斎の効用だな。高尚な本を読むと、どなったりするのがばからしくなる」

会社内での評判もよくなる。得意先の人たちからも好かれる。役所相手のやっかいな仕事も、スムーズにやりとげる。他人をなごやかにさせる笑顔のためだ。

というわけで、男は異例きわまる昇進をした。それから十数年で社長となったのだ。株主、銀行関係、すべての意見が一致した。

　電車での通勤は、しなくていいようになった。自宅まで迎えに来た会社の車の運転手が話しかける。

「めざましい昇進ぶりでしたね。こんなに若い社長など、わが社ではじめてです。それでいて、やっかむ人もいない。社長の人柄ですね」

「自分では、失敗のないようにと努めてきただけと思っているがね」

「そこが、そなわった才能なんでしょうね。しかし、こんなへんぴな場所の、こんな小さな家にお住みにならなくてもいいでしょうに」

「かもしれない」

「都内の高級マンションでも、一軒家がお好みなら、もっと社に近いところにでも、お望みならできますでしょう。部長クラスでも、もっといい家に住んでいる人もいる」

「できないことはない。そうか、送り迎えの手間が大変なわけか」

「そんなことはありません。仕事ですし、交代制ですし、そのぶんの手当てもいただいています。その点のご心配はいりません。ただ、申し上げては失礼でしょうが、なにも、あのような家にお住まいにならなくてもと思うのです。景気のいい会社の社長をなさっておいでのかたが」

　そう言われ、男はうなずく。

「ふしぎに思うだろうなあ……」

夏の女

夏のさかり。

その青年は、海岸地帯の別荘にいる。すべてが、うまいぐあいになったのだ。つとめ先の会社で十日間の休暇がとれた。また、親類の一家が、この夏はみなで外国へ行くから、別荘を使ってもいいよと言ってくれたのだ。

のんびりできるわけだが、十日間ひとりでとなると、退屈するのではなかろうか。そこが少し気になった。

着いたつぎの日、昼までぐっすり眠った。食事をすませる。さて、なにをしたものか。

海岸のほうへと出かけてみた。砂浜にビーチパラソルが何本も立ち並び、日光浴をする人、泳ぐ人などがいる。ここは自動車の通る道から離れており、ちょっとした穴場となっていて、大混雑ということはない。海の家も三軒ぐらいでたりている。

子供の投げた軽く大きなボールが、青年のほうへころがってきた。それを投げかえそうとしたが、とんでもない方角にそれ、ビーチパラソルの下にねそべっていた若い女性に当ってしまった。あわててかけより、ボールを子供のほうへころがしたあと、あやまる。

「どうもすみません。つい手がすべってしまって」

ほっそりとした感じの、おとなしそうな女だった。

「痛かったわけでもありませんし……」

「おひとりですか」

青年が聞くと、女は小型ラジオの音楽の音を小さくしてうなずいた。

「ええ」

「いいとこですね、ここは」

「ええ、岬のむこうの海岸は、ずいぶんと俗化してしまいましたけどね」

すぐに立ち入ったことを聞くのはと、青年はそばのサンオイルを指さして言った。

「それ、背中にぬってあげましょうか」

「お願いするわ。けっこう大変なのよ」

青年はそれをはじめた。ほどよく小麦色に焼けていた。そのうち、女の左の二の腕の内側あたりに目がゆき、青年は言った。

「ほくろがあるんですね。北斗七星そっくりだ。こうつなげると」

「くすぐったいわ……」

指でなぞられ、女はつけ加えて言った。

「……そうなの。いつもは忘れているけど、夏服の季節になると、ちょっと気になるの。目

立たないよう、日やけでごまかそうというわけよ」

　青年は思いついて言った。

「そうだ。ほくろを取るのにききめのある漢方薬。友人からもらって、持ってますよ。カバンのなかにあるはずだ。ぼくの場合、足のふくらはぎでしたけど、うまくとれました。余分に残ってます。やってみませんか」

「そうね。顔だったら、特徴のひとつになっていて、どうしようかと迷うんでしょうけど、腕ですものね。片腕に七つじゃ、多すぎるわ。やっていただこうかしら」

「じゃあ、うちへ寄って下さい。正確には親類の別荘ですがね」

　女は水着の上に、しゃれた海浜着(かいひんぎ)をはおり、ラジオを消してポケットに入れ、パラソルを海の家にかえしてついてきた。

　青年は小さなビンを取ってきた。

「これですよ。ためしに、まずひとつ」

　青年は、北斗七星のヒシャクの柄(え)のはじに当るほくろの上にねばつく薬をつけ、バンソウコウで押えた。

「どれくらいかかるの」

「ぼくのは、翌日にはとれましたよ」

「うまくいくのかしら」

女は帰っていった。

つぎの日、青年は海岸へ行ったが、女はいなかった。戻ってビールを少し飲み、うとうとしていると、女がたずねてきた。ワンピースのそでから出ている左の腕には、包帯が巻いてある。はがれないようにと、あとで巻いたのだろう。

包帯をほどき、バンソウコウをはがし、アルコールでふくととれていた。

「うまくいきましたよ」

「ほんと。ふしぎね。こんな簡単に消えるなんて」

女はうれしそうに笑った。きのうにくらべ見ちがえるように魅力的で、好意にみちた感情があふれている。

「くれた友人、なんだかんだと、もったいをつけてましたよ。じゃあ、となりのもやりましょう」

これで何日間かはつき合えるというものだ。急いで全部をいっぺんに取ることはない。

そのつぎの日、二つ目のが消え、三つ目のにとりかかる。

「少しゆっくりして行きませんか。ジュースでも飲んで」

青年にすすめられ、女はジュースを飲み、となりの部屋をのぞいて言った。

「あら、ピアノがあるのね。ひいていいかしら」

「ああ。調律がどうなっているか、わからないけどね」

「うまくいきそうだわ……」

女はメロディーを口ずさみながら、ピアノで伴奏をつけた。

「いいムードだね。すてきだ。なんという曲かは知らないけど」

「あたし、いつもひとりでいる時、勝手なメロディーを口ずさんでいるの。だけど、人前でとなると、だめだったの。それが、なぜか、いまはできるようになったの」

「すばらしい才能だなあ」

二人は楽しい時間をすごした。

つぎの日、女はやってこなかった。青年は少し気になった。

しかし、そのつぎの日の昼ちかくに女はやってきた。いたずらっぽく笑って言う。

「お金が入ったのよ。お昼をおごってあげるわ。いい店を知っているの」

「なんでお金が……」

「岬のむこうの町に、野外音楽堂があるのよ。そこで演芸コンクールがあったの。あたし、飛び入りでピアノをひきながら歌ったら、優勝しちゃったの。賞金が入ったのよ」

「ぼくも、それを見たかったな」

「だけど、みじめな落選をするかもしれなかったわけよ。その埋め合せに……」

案内されたのは、静かな林のなかにある、小さな料理店だった。昔からつづいている、落ち着いた品のいい店。新鮮そのものの魚や、エビ、アワビなどが出た。青年はその味に満足した。

「あとで、つぎのほくろにとりかかろう」

四つ目のほくろ、北斗七星のヒシャクの水をくむ部分と柄との接点に当るやつ。薬をつけ、バンソウコウをはり、包帯を巻く。

そのあと、女はピアノをひいていたが、しばらくして言った。

「なんだか、さむけがするの。夏かぜかしら」

青年が手をひたいに当ててみると、かなりの高熱だった。

長椅子に寝かせ、毛布をかけ、解熱剤を飲ませた。医者を呼ぶほどではないようだし、近くでどこに病院があるのかもわからない。少し、ようすをみてからにしよう。

ひやしたタオルをひたいの上にのせ、それを何度もとりかえる。しかし、熱はなかなか下らなかった。あしたもこうだったら、病院さがしだな。

夜中になって、女が言った。

「ねえ、おねがい」

「なんだい」

「ほくろの薬、もうひとつのにやってくれない」

「妙なことを考えるなあ。熱のせいかな。やってみてもいいけど……」

それをやりながら、青年はいつのまにかうなずいていた。最初のひとつを消すと、いやに魅力的になった。つぎので、音楽的才能があらわれた。三つ目はお金。いいことがつづくなあと、なにげなく思っていたが、四つ目で、このわけのわからない高熱。やってみる価値があるかもしれない。

そのあと、青年は少しうとうとした。気がつくと女も眠っている。熱は下りかけているようだった。青年もほっとして眠った。

つぎの日になると、女の熱はふしぎなぐらいに下り、元気を回復しはじめていた。昼すぎ、空腹だと言い、インスタント食品をうまそうに食べ、さらにくだものの缶詰を平らげた。女は言う。

「ご迷惑をかけたわね」

「べつに。ひとりでの退屈より、ましだったかもしれませんよ。なおってよかった。で、つぎのほくろもやってみるかい」

「そうね。面白くなってきたわ」

ほくろは、あと二つになっていた。そのひとつに薬をのせる。今度はどんな変化となるのだろう。夕方になり、涼しくなったなかを、女は帰っていった。

そのつぎの日の午後、青年が海岸に行くと、女はそこに来ていた。いつかのように、パラソルの下に横になっていた。包帯ははずされていて、ほくろはあとひとつになっていた。青年は言う。

「なにか変ったかい」

「さあ、わかんないわ」

青年は持ってきた薬を、その最後のほくろの上につけ、バンソウコウをし、包帯で巻いた。最後の仕上げといった気分だった。あしたになれば……。

空想しようとした時、外国人が話しかけてきた。岬のむこうへの道をたずねている。青年は一瞬とまどったが、女はきれいな英語で説明していた。一段落したとこで、青年は言った。

「知らなかったなあ。そんなにうまいとは」

「じつはね、すっかり忘れていたのよ。あたし、子供のころ、外国で育ったの。その当時はよくしゃべれたらしいけど、帰国してから使う機会がなかったので、ぜんぜんだめになってたの。それが突然よみがえったみたいだわ」

その中年の外国人夫妻は話好きで、いつかの料理店のことを知ると、そこでいっしょに食事をしようと言い出した。

そこの味は彼らを喜ばせた。そして、いやに酒に強い。

青年もつられて飲んだ。これで、女の左腕の北斗七星のほくろは、みな消える。一連の手続きというか儀式というか、なにかをすませた祝杯のような感じで飲んだ。

かなり酔って、そこを出る。外国人夫妻は教えられた道を行き、青年は女に助けられて別荘にたどりついた。

「ああ、酔った。眠い。きみもむこうの部屋で寝るといい」

「そうするわ」

女はとなりの部屋へ。

青年が目ざめると、昼ちかかった。

別荘じゅうをさがしたが、女はどこにもいない。メモすら残っていない。待ってみたが、あらわれない。

海岸にもいなかった。海の家で聞いたが、いちいちお客さんをおぼえてはいられないとのこと。それもそうだろう。

昨夜の料理店にも行ったが、要領をえない。

「そういえば、外国のかたがいましたねえ。めったにないことで、そっちにばかり気をとられて。女の人ですって。ごいっしょにいたような気もしますが、どこのかたかまでは……」

別荘に戻るが、女の姿はなく、訪れてもこなかった。そろそろ休暇も終る。ぜひとも、もう一回、会っておきたい。いつでも聞けると思って、なんにも聞いておかなかった。名前は聞いた気もするが、姓は知らない。そして、その名前の記憶もあやふやだ。

つぎの日、青年は岬のむこうの町へ行き、演芸コンクールの運営をした人をたずねあて、質問した。

「コンクールでの優勝者について知りたいんですけど」

「あれはね、観光宣伝用のお祭りのようなもの。記録は、なんにも残っていません。そういえば、女のかたが一位になりましたな。ピアノをひきながらで、なかなかよかった」

「なにか手がかりはありませんか。どこの人か知りたいんです……」

青年は事情を話した。

「だいぶご執心のようですな。何日か、楽しい交際をなさったみたいですね。それでいいじゃありませんか。夏の思い出って、そういうものですよ。たとえれば、入道雲だ。鮮明なようでいて、実体がない。雲をつかまえるなんて、できません」

「あきらめきれない。警察で聞いてみようかな。このへんに住んでいるのかもしれない」

「およしなさいよ。むりですよ。むだですよ。これが逆だったら、どうなります。その女があなたといっしょにいたのを目撃した人が何人もいる。そして、最後はあなたのとこでいなくなった。変に疑われますよ。あなたに消されたんじゃないかと」

「そうですね……」

青年はうなずく。あの女が消えたのは、ぼくのせいかもしれないのだ。

妖怪

夜の九時ごろか、谷川にそった道をひとりの老人がおりてきた。足が弱っているのか、杖をついている。ゴム底の靴に、ふだん着の洋服。山へ登ったはいいが、歩くのがおそくてこんな時刻になったのか。

空には満月が出ていて、あたりはかなり明るかった。しかし、こんな時間にこんな場所を通る人は、ほとんどなかった。観光地でもないので、昼間でさえあまり利用されない。ふもとの住人たちの何人かが、山菜を取るため出かけているうちに、道らしきものができてしまったのだ。静かで、川の流れる音と林の葉のこすれる音がかすかに……。

老人が歩いてゆくと、前方に人かげが現われた。五十歳ぐらいの男らしい。しゃがみこみ、川のほうをむいてなにかしている。どことなく異様な感じを発散しているが、それが老人に伝わったかどうか。

歩きつづけ、老人はそいつにぶつかった。なにしろ道はせまいのだ。男はふりむいて老人を見あげながら、立ちあがった。古びた和服で、髪はぼさぼさ、ひげは伸びほうだい。口のまわりは、なにやら赤かった。耳までとはいわないが、ずいぶんと大きな口だった。そして、赤いのは血のせいらしかった。

けがのためではない。右手に人間の片腕を持っていて、そいつは立ってから、それをひとかじりした。鋭い目で老人をにらみつけ、おもむろに言った。

「見たな」

老人はのんびりとした口調で答えた。

「どなたか、おいでだったのですね。まさか、こんなところに人がいるとは。夜なのですよ。かんべんして下さい。そう強くぶつかったわけじゃないし」

「ごまかすな。この満月の光だ。おれのしていることを見ただろう」

「なにをなさっていたのですか」

老人に聞かれ、そいつは言った。

「まだ、とぼけている。さっきから人間の腕を食っているのだ」

「うそでしょう。なにかの冗談ですか」

「じれったいな。見ればわかるだろう」

男はまたも、ひとかじり。すごまれたが、老人は言った。

「そこなんですよ。見ればなんでしょうけど、わしは、としをとるにつれて視力がおとろえ、もうほとんどなにも見えないのです。歩きなれた道を、杖をたよりに散歩する。いま、それぐらいしか楽しみがないのですよ。そんなあわれな老人を、変にからかうのはやめて下さい。

腕を食うなんて。指をしゃぶるのは子供のすること。すねをかじるのは、学生のすること。爪をかむなんてのは、よくあることです。腕っ節をけずってだしを取ってたなんてのは、できの悪いしゃれですよ」

「まいったね。まさか、視力の弱った老人とは。見たと答えてもらわないと、ことは先へ進めないんだ。しようがない。みのがしてやる。まったく、運のいいやつだ。さきへ行っていいよ」

「あなたもお元気でな。面白い人だ。お顔を見られなくて残念です」

老人はその場を離れ、道をたどった。

しばらくすると、さっきと同じく、道ばたで川にむかってしゃがみこんでいる男がいた。同類らしいが、髪の毛の波のうち方から別人らしい。老人は足をとめ、のぞきこんだ。人間の腕をかじっている。うまそうにでもなく、まずそうにでもなく。男はふりむいて言った。

「見たな」

「…………」

「驚きで口もきけないことは、よくわかる。おまえの運命もこれまでだが、いちおう事情は話してやろう。わけもわからずに死ぬのはいやなものだからな。はるか昔、大凶作の年がつづき、たくわえもつきて木の根、草の根を求めて山へ入った者が何人かあった。山菜も副食としてならおつなものだが、それも主食あってこそだ。やせおとろえる一方」

「……………」

「そのうち、旅人を襲うほうが割のいいことと知った。もっとも、旅人の着物など、たかがしれている。にぎり飯だってせいぜい一食分だ。大金を持っているやつは、ちゃんとした街道しか歩かない。つまり、つかまえた旅人そのものを食う以外になかった」

「……………」

「そのあげく、いつのまにか生きながら妖怪となってしまった。食人妖怪だ。つまらんやつとめぐりあった不運と、あきらめてくれ」

「……………」

「信じられないだろうが、死者のたたりのおそろしさだ。成仏させてもらえない」

そこではじめて、老人は口を開いた。

「あなたも変った人ですねえ。その、手に持っているもの、どうせパンかなにかなんでしょう。あまりいい趣味じゃありませんよ。都会での流行なんですか。バラバラ事件なんかがあると、すぐ商売に利用しようとするやつが出る」

「おいおい、おれの話を聞いてなかったのか」

「それとも、びっくりオモチャの一種なんですか」

「いったい、どういうつもりなんだ。ちゃんと話してやったのに」

そいつの目はつりあがった。それを見て老人は言った。

「おやおや、せっかくの品に驚かなくて、お気にさわりましたかな。しかし、わしはもうとしでしてな。耳が遠くなってしまった。ひとさまの話がぜんぜん耳に入らぬのです。なんの楽しみもない。晴れた夜の散歩が唯一の楽しみです。しかし、人を見かけると、つい話しかけてみたくなる。とんちんかんな結果になるのはわかっているのにね。夜の散歩も、そんなことのないようにと思ってですが、人を見るとそばへ行ってみたくなる。そんなわけです。あわれと思って、許して下さい」

「なんだと。ふざけるな。おれの食っているのは、たしかに人間の腕だ。おまえの目はふし穴か」

会話は完全にずれている。

「やってみれば、あんがい面白いかもしれませんね。ストレス解消になるかもしれない。大がかりなチューインガムみたいなものですね。耳の遠い、わしのようなおいぼれには、むかんでしょうが」

「たのむから、見たと言ってくれ」

大声でどなられて、老人は言った。

「残念ですよ、聞こえなくて。いいお声なんでしょうね。その歌に、こだまの響きが重なって、さぞすばらしい……」

「そうか、なにを言ってもむだというわけか。いまいましいやつだ、あっちへ行け」

そいつは手まねで、行ってしまえと示した。老人は頭を下げた。

「また、お会いできるかもしれませんね。つぎにはもっと別なのを見せて下さい」

歩きはじめる。さらに進むと、またも同じようなのがいた。片足をかじっていた。例によって、老人に言う。

「見たな」

老人は首をかしげて、だまったまま。

「…………」

「見ただろう」

「…………」

老人は口を開き、指でそこをさして、首を振った。相手は言う。

「自分にも食わせろというのかな。仲間とも思えないが。それに、首を振ったのはどういうつもりか」

老人は右の人さし指で、左の手のひらに字を書いた。

〈びょうきでこえがでなくなった〉

それが読めたのかどうか、相手はなんとか察してくれた。

「声が出ないのか」

老人はうなずいた。

「しかし、耳は聞こえるようだな。いいか、人間の肉の味をしめ、ある人数を食うと、妖怪となるのだ。人間をつかまえて、食いつづける。内臓がいちばんうまくて、最初に食ってしまう。最後に足というわけだ。骨が多くて食いにくいが、仕方ない。ごらんの通りだ。つぎの獲物を狙っていたら、おまえさんがひっかかった。あきらめてくれ。見ただろう……」

首をかしげる老人に、相手はつづけた。

「……うなずいてくれればいい」

老人は自分の頭を指さし、口と耳を指さし、両手の指を交互に前後させた。なかなかの熱演だった。なんとか通じたようだった。

「うむ、二、三の質問をして、なっとくの上でうなずきたい。それが出来ないのが非常に残念である。としよりでもあり、会話もかわせない孤独な余生。命が惜しいわけではないが、疑問が残ったままではうなずけないというわけだな」

その質問には、老人もうなずいた。

「幻覚かと疑っているのか」

老人は首を振り、またもパントマイムをはじめた。抽象的なことに及ぶがと告げたいらしいが、身ぶりで伝えるのはむずかしい。筆談も、老人は筆記具を持っていず、相手も文字が読めるかどうか疑わしい。

「さっぱりわからん。なにを聞きたいのか、わかればなあ。これじゃあ、きりがない。あきらめよう。ほかに人間がいないわけじゃないし」

老人はそこをはなれ、道をおりていった。

あけがた近くなり、かげが薄くなりはじめるころ、食人妖怪たちが集って話しあった。

「さっき老人をつかまえかけたが、あいにくと目が悪くてね、見たと言ってくれず、どうしようもなかった」

「なんだと、たぶんそいつだ。おれのところでは耳が遠くてなんて言ってたぞ」

「こっちのところでは、声が出なくなったと、手まねでわけのわからんことをやりやがった」

「ちきしょうめ。ふざけやがって」

「まったくだ。飢えの苦痛と、良心のとがめと、天罰とによってこのようなものとなり、世をさまよいつづけるわれわれをからかうとは。あいつ、内心で今ごろ大笑いしているのだろう」

「そう思うと、しゃくにさわってならぬ。こんなことは、はじめてだ」

「あの、くそじじいめ。ただじゃおかないぞ。うまそうではないが、骨までしゃぶってやる」

「散歩が日課となってると言ってた。きょうの夜、三人でいっしょにとっつかまえよう。それだったら、いやおうなしにみとめるだろう」

　つぎの夜、やはり月は明るかった。老人はまたも山から道をたどって、杖をつきながらおりてきた。

　道のそばで、三人というか三匹というか、食人妖怪が並んで、人間の足をかじっていた。ひざのへんの部分、すねの部分、足首から先と、それぞれ手に持って。これがとっておきの残りで、つぎが必要というわけなのだろう。

「おい、じいさん」

「おや、きのうのかたたち。きょうは、ごいっしょなんですね」

「よくもわれわれを笑いものにしてくれたな。まずそうだが、食ってやるから、ありがたく思え。妖怪にだって感情はあるのだ。いままでは食うたびに心のなかで手を合せていたが、きさまだけは別だ。思い知らせてやる」

「で、どうなるんでしょう」

「まず、答えてもらおう。見たな」

　食人妖怪たちの問いに、老人は答えた。

「見たよ」

「よろしい。もはや、じたばたできぬわけだしな」

老人は片手をひろげて前へ出した。

「まあ、待ってくれ。わしは、おまえさんたちの行為を目撃した。これは、まぎれもない事実だ。ということはだ、おまえさんたちは、食人妖怪の目撃者を待ちかまえ、それがどんなやつか見たというわけだな」

妖怪たちは声をそろえて言った。

「見た」

「それを聞きたかったのだ。しかも、三匹もいっぺんにとはな」

老人は目にもとまらぬ早さで、杖を逆に持ち、やつらをなぎ倒した。にぎりの部分は金属製で、なにか文字が書かれていた。老人はかがみこみ、河原から拾ってきた石でやつらの大きな口を開き、歯をたたきはじめた。なれた動作で、すべての歯を抜きとった。それを川の水で洗って、ポケットに入れる。そとから手のひらでなでると、じゃらじゃらと音がした。

「これだけあれば、当分……」

老人は笑い、帰っていった。山道をのぼって。

才能を

その男は、すでにいい年齢になっていた。ずっと会社づとめで、定年を過ぎてもいたのだが、おなさけでおいてもらっていた。だから、責任ある仕事はやらせてもらえないし、ボーナスも出ない。

そんな状態に、彼は満足していたわけではない。時どき、思わずつぶやく。

「こんな生活はたまらないな。といって、ほかに金もうけのあてもない。ああ、なにか才能があったらなあ」

ある日、昔からの友人と会った時、こう言われた。

「依然として、変りばえのしない毎日か」

「ああ。いやなもんだな」

「そこでだ。耳よりな話を聞きこんだ。きみが欲しがっている才能とやらを、売ってくれるところがあるらしい。人生バンクとかいう名称だ。ためしに行ってみないか。場所はわかっているよ」

だめでもともとばかり、男はメモの番地をたずねてみた。大きなビルの地下アーケードの奥の一室に、目立たない形でその看板が出ていた。ドアをあけて入る。

「うわさを聞いてやってきたのですが、なにか変ったことをなさっておいでだそうで……」

と男が聞く。部屋のなかには四十歳ぐらいの女性がいて、すべてひとりでやっているようだった。なかなかの美人で、神秘的なところもある。男に椅子をすすめ、彼女は言った。

「その前に、あなたのお悩みをお聞かせ下さい。それによって、お役に立てるかどうかお答えできます。可能な場合、それを解決してさしあげるのが、あたしの仕事なのです」

男は、ひと通り現状を説明してから言った。

「というわけで、いまのつとめをやめ、自由業で生活したいのです。作家、画家、作曲家といったたぐいの」

「自由業ってのも、はたで見るほど楽じゃなく、なにかと苦労もあるようですよ」

「でも、いまの生活よりいい。才能あっての苦労なら。せっぱつまった気分なのです。なんとかなりませんか」

「もう少し早くおいでになれば、あれが使えたんですけどね。あいにくと、先日、ある若い人に売ってしまって……」

「なにをです」

「死んだ作家の霊魂よ。そのお客、どんなのでもいい、作家になりたいっていうんで」

ここでそんなものが取引きされているとはと、男はいささか驚いた。

「どうして、そんなことがおできに……」

「そういう能力のある人の霊魂が、あたしにとりついてくれたの。で、こういう商売ができるようになったってわけ」

「その人、うまく作家になれたんですか」

「まあ、一応はね。若いのに老成した作風と評され、そう売れっ子じゃないけど、作品の出来は安定しているの。いい年で死んだ作家の霊魂だから、仕方ないわね」

「そういうので、ほかにありませんか」

「若くして死んだ画家の霊魂があるわ。自分で天才と思い込んでいるの。いずれは世界的にみとめられるはずだと確信し、熱狂的に描いていた。惜しくも死んじゃったけど」

「それがいい。ぜひ、売って下さい」

男は正式に会社をやめ、退職金の一部を持って、出なおしてきた。

「はい、どうぞ。もしお気に召さなかったら、お取りかえもいたしますから」

女にそう言われた瞬間、男の心に芸術的衝動がめばえた。傑作を描くのだと、自分をはげます。さっそく道具をそろえ、描きはじめた。何枚も。

ピカソとダリをまぜ合せたような画風。作品がたまったので個展を開いてみたが、ぜんぜん売れないし、批評はすべて黙殺だった。興味を持ってくれた見物客は何人かいたようだったが、作者当人と会って、そのぱっとしなさに失望の表情になった。

男はがっかりした。いったい、この霊魂になったやつ、生前どんなだったのだ。男は美術界にくわしい人をたずねまわって、いくらか知ることができた。たしかに絵への執念はあったらしいが、大言壮語の傾向のある性格だったらしい。

さらに何枚か描いてみたが、やはりだれもみとめてくれない。

男はまたあの女性のところを訪れた。

「というわけです。どうもうまくいきません。とりかえていただけますか」

「そうしましょう。人生は地味なほうがいいのです。今度は、毛筆での字のうまかった人の霊魂がいいと思います。封筒のあて名書きなど、けっこういい収入になりますよ。また、自宅の一室で塾を開き、近所の子供たちに教えるのもいい。なんとか生活できましょう。そのうち、区民会館あたりでの趣味の書道展の審査員にもなれるでしょう」

「努力してみます」

お告げの通り、予期していた以上の収入になったし、地域社会でほどほどの尊敬を受け、満足すべき余生をすごすことができた。まずは、めでたしめでたしといえるだろう。

死後、夫人が、押入れの奥にあった忘れかけていた絵を引っぱり出した。ためしにと画商に見せると、おまかせ下さいとのこと。

その画商、なかなかの商才のある人で、話題づくりなど巧妙に演出し、かくれたる天才の遺作と宣伝した。開いた個展は評判になり、どれも高く売れ、そのなかの一枚は外国の美術館におさまった。

手さげバッグ

その男はビルの中に事務所を持ち、会計士を営業としていた。いい得意先が多かったが、なにもかもひとりでやっていた。だから、秘密のもれることなど、まずない。

高性能のコンピューターをそなえ、それを使いこなしている。必要な資料はボタン操作で抜き出せるし、留守番電話は相手の名前をスクリーン上に記録しておいてくれる。書類の作成も、コピーも、破棄も、みな装置がやってくれる。そんなこともあって、すべて順調だった。

その日、午前の仕事が一段落したので、男は昼食をとりに外出した。一時をすぎていたので、ゆっくりと食べることができた。すぐ事務所に戻ってもと、腹ごなしをかねた散歩に、少し歩く。小さな画廊の看板が目につき、なにげなく入ってみた。

ヨーロッパの風景画が主で、その画家らしい人が中央の椅子にかけていた。ただ見物だけしている人は、ふらりと入った客だろう。その何人かのお客のなかに、男はすごい美人を見つけた。二十八歳ぐらいか。いや、年齢などは感じさせない。彼女の持つ、なにか圧倒的な魅力が男の心をとらえたのだ。

「ああいう女性もいるんだなあ……」

心のなかでつぶやく。黒っぽい服装のため、色の白さがひきたち、その白さで眉やまつ毛の美しさが目立つ。いや、そんな細部の描写はどうでもいいのだ。

「……めったにお目にかかれない……」

飾ってある絵なんか、もうどうでもいい。声をかけてみようか。男はそこで、自分が今までくどいて振られたことのないのを思い出した。まあまあの外見であり、金まわりも悪くなく、それに独身だった。楽天的な性格で、振られてもすぐに忘れることもできた。

この機会をのがしてはと、女にあいさつをした。

「絵がお好きなんですか」

「いちおうはね。でも、ここの絵はのどかすぎるみたい」

声もまた、特色のある響きを持っていて、男の心はさらにかきたてられた。

「くたびれたのではございませんか。ぼくの事務所はこのそばです。少し休んでいきませんか。おかしな商売でないことも、おわかりいただけると思います」

「じゃあ、ちょっとだけ……」

女はビルのなかの部屋までついてきた。そして、コンピューターやスクリーンを見て、女は興味を示した。男は言った。

「コーヒーでもおいれしましょう」

ボタンを押すことでコーヒーがわき、二つのコップにつがれ、砂糖とミルクつきで銀の皿に乗ってテーブルの上へと移ってきた。すべて自動式。

「すごいしかけね」

「趣味でもあるんですよ。失礼ですが、あなたはどんなお仕事を……」

男は聞き、女は答えた。

「こういうのと、まるで逆のことね。仕事というより、調査研究ってとこでしょうね。古い文明の地の博物館を回って、失われた宗教なんかとつきあってるのよ。趣味かもしれないわね」

「それも面白いでしょうね。で、よろしかったら、夕食でもいっしょにいかがでしょう。珍しい話もお聞きしたいし」

約束がまとまり、その夜は夕食をともにした。それがきっかけで、二人は時どき会うようになった。女はいつも、皮製の手さげバッグを持っていた。外国の民芸品といった外見で、そのへんで売っているのより大型だった。よほど大事なものが入っているらしく、クロークにあずけたりせず、いつも手のそばにおいた。

「よほど大事なもののようですね」

男が指さすと、女は言った。

「まあね。研究の成果のたぐいですものね」

秘密めかして答える時の目つきも、男をぞくっとさせた。男の心は徐々に女にひきつけられ、ついにこう口にした。

「結婚して下さい。このままだと気が狂いそうだ」

「あたしのこと、よくご存知でないのに」

「だれだって、そうですよ。商取引とは別です。結婚ってものは、愛こそすべてでしょう」

コンピューターを駆使する者らしくないせりふだが、それが少しもおかしくなかった。

二人は結婚した。男にとって、この上ない日々がすぎてゆく。しかし、落ち着いてくると、女のバッグのことが気になりはじめた。二人は愛し合っているのであり、愛に秘密があってはならない、好奇心は高まる一方だった。

しかし、あの秘密こそ彼女の聖域であり、それを犯さないことこそ愛のあかしともいえた。男の心はこの二つにとりつかれ、右に左にと揺れた。

仕事も手につかない。ぼんやりしている時も多くなり、頭がおかしくなってゆくかもしれない。一回のぞくことぐらい、いいのではなかろうか。

男は時期をうかがった。やるとしたら、女の入浴の時しかない。さっとすませてしまえばいい。男は決意し、それを実行した。彼女の洋服ダンスのカギの場所も知っている。それであけ、ずっと気にしつづけだったバッグを手にした。床において、あけてみた。

男は自分が妙な位置にいるらしいことに気づいた。床に近いのだ。どこかに鏡があったはずだと目を左右に動かすが、よくわからない。どうなったのだ。

　男は正面を見る。そこに自分が立っている。足があり、胴がある。上目づかいに見あげてゆく。たしかに自分だ。しかし、首はついていなかった。

　入浴をすませた女が、バスローブ姿で近づいてきた。

「あれあれ……」

　バッグの口をしめた。男は暗さのなかにとじこめられ、もはやなにも見えなかった。

川の水

ひろびろとした野原。静かで、ところどころに小さな草花が咲いている。そこを四十歳ぐらいの男が、ひとりで歩いていた。空には薄く雲がひろがっていて太陽の位置はわからないが、どうやら西へと進んでいるようだ。それにしても、なぜ、こんなところを……。

男は歩きながら回想した。そうそう、あの結果にちがいない。記憶はそこで切れているのだ。

もともと、軽はずみの性格の持ち主だった。また、人目をひくことが好きでもあった。それに、身のこなしが巧みだった。若いころからサーカスの一座に加わっていて、それに満足していた。

それがこうじて、ある計画を思いつき、テレビ局へ持ち込んだ。すなわち、二つの高層ビルの最上階のあいだに綱を張り、その上を渡ろうという案だ。だれもが、はらはらしながら見つめてくれるだろう。

局の人が言った。

「考えただけでも、ぞくぞくしますなあ」

「だからこそですよ」

「落ちたら死にますよ」

「うまれつき、命しらずなんです。普通の人ほど、死がこわくない。こわがってたら、空中ブランコなんか、できませんよ」

「そういうものですかね。しかし、これには役所の許可がいるのでは……」

「事後承諾で、いいんじゃないですか。だれに迷惑をかけるわけじゃなし。申し出たりしたら、うるさく条件をつけるでしょう。お役所仕事。やってしまえば勝ちですよ。外国に前例があったのじゃないかな。わたしの出演料を、どこかに寄付することにしましょう。大衆の支持が優先しますよ」

というわけで、実行に移された。夜のうちにひそかに綱が張られ、テレビカメラも用意された。朝になるのを待って、男は渡りはじめた。長い棒を横にして胸のあたりに持ち、左右のバランスをとり、一歩ずつゆっくり進む。

ちょうど朝の通勤の時刻。下の人だかりは、予想以上のものとなった。予想以上のものは、ほかにもあった。風の強さだ。ビルのあいだを吹きあげる風は、かなりのものだ。注意しながら、ゆっくりと歩く。高さへの恐怖はさほど感じない。なれているし、三十メートルぐらいの低さだって、落ちれば死ぬのだ。

しかし、風にはまいった。突風のため男はよろめき、足をふみはずした。棒をにぎるのに力をこめた。棒の両端がカギ状になっていて、綱にひっかかるようになっている。しかし、うまく効果をあげてくれなかった。風のせいで、綱と棒とが接触しなかったのだ。

つまり、そのまま地上へと落下した……。

助かるわけがない。となると、これは死後の世界なのだろうなと男は思った。仕方ない。どうせ、いつかは来るところだ。苦痛のあげくでなかったのだから、ましかもしれない。すんなりと来られたのだ。

テレビ局に損をさせてしまったかな。警察あたりから、あれこれ言われるだろう。しかし、あのビデオは、どえらいものになったはずだ。あるいは成功した場合以上に。外国にだって売れるだろう。それに、わたしはまだ独身。補償金の要求だってない。

歩きつづける男の前方に、川が見えてきた。そう大きな川ではない。泳げば越えられるだろう。浅ければ歩いてということになる。

川べりに近づくと、小舟があり、そばに老人がいた。

「むこうへ渡してくれませんか」

男が聞くと、老人は微笑しながら言った。

「はいはい。そのために、わしはここにいるのです。なにごともサービス。あなた、ずっと歩きつづけだったのでしょう。のどもかわいておいででしょう。まず、水でも飲んで……」

うながされ、男は川の水を手ですくって飲んだ。気分が一変した。

「なぜか急に、元気が出てきた。体内に力がみちあふれはじめた」

「でしょう。あなたは、この川を越えることはないんだ。お戻りなさい」

「戻りたい気になってきたよ。しかし、あの肉体。見てはいないが、どうなってるか想像はつくよ。動き出したりしたら、ひとさわぎ起りかねない」

「その心配は、なさることない。わしは、あいつを舟に乗せることにするよ」

指さすほうをふりむくと、二十歳ぐらいの青年が歩いてくる。男は戻りかけ、青年とすれちがう。そのとたん、生きようという意欲が一段と高まり、歩くのが早くなる。

ぼくは、死んじゃいけなかったんだ。もともと無気力だったが、両親の甘いのをいいことに、ほとんど学校に行かず、ゲームセンターで遊びつづけだった。そんな自分にいやけがさし、睡眠薬を大量に飲んだ。両親はなげいているだろうなあ。死んではじめて気がついた。

両親が……。

両親なんてものが、あったかなあ。あったとも。金銭的に余裕のある家庭なんだ。そのため、だらしない性格になったともいえるが、本当はぼくの心がけがよくなかったんだ。戻るにつれ、記憶がはっきりしてくる。野原が終り、林に入る……。

そのとたん、目をさました。病室のなかで見まもっていた母親が、まず叫び声をあげた。

「あ、目をあけた。先生、ほら……」

白衣をつけた医者が、脈をはかりながら言った。

「奇跡的です。脳波もいったん停止したのに、こうなるとは」

人びとが集ってきて驚きあった。

からだは日ましに快方にむかい、青年はベッドから身を起せるようになり、見舞いに来た両親に言った。

「こんどのことで、ご心配をかけました。反省しています。あんなことは二度としません。勉強に熱を入れます。しかし、しばらくは他人がうわさにするでしょうから、できれば外国へ行って……」

その希望はかなえられた。頭は悪くないのだ。外国の大学に入り、周囲から注目されるほどのいい成績をあげた。その一方、スポーツの才能も示した。

やがて卒業となる。しかし、帰国しても、ふさわしい就職口がありそうにない。ぶらぶらしていると、その国の秘密情報機関から話があった。

「どうです、この組織のために働かないか。収入はいい。きみの性格についても、それとなく調べてある」

「こんな仕事の口がかかるとは。さすがに発想がちがう。やりましょう。どうせ一回、死にかかったからだです。平凡な生活は好きでなく、なにかないかとさがしていたとこです」

正式に組織に加入した。そこでの訓練は、かなりきびしいものだった。格闘術、拳銃、暗殺のやり方、暗号、盗聴。そのほか、さまざまなことを教え込まれた。

やがて指示があった。

「そろそろ、現実の配置についてくれ」

「はい。どこの国へですか」

「きみの国へだ」

「これまた意外な話ですね。わたしの国の機密をさぐるんですか」

「そこまでは、たのまない。きみの国にいる、他国のスパイを見張ってくれ。とくにわが国と対立関係にあるやつをだ。きみがわが国のスパイとは、まあ感づかれまい」

「それはそうですね」

というわけで青年は帰国した。その道に入ってみると、他国のスパイはけっこういるのだ。上司や先輩に教えられると、なるほどとわかる。そのうち、自分で見分けがつくようになる。さらには、そいつが好ましい存在であるかどうかも。

好ましくない人物と判定すると、それとなく消してしまう。青年は実績を上げつづけた。何年かたつと、かなり重要な地位についていた。こうなってくると、対立国のスパイも、あいつが怪しいのではないかと、気づいてくる。

そして、ついにある夜のこと。ライフルで狙撃された。相手も殺しの名手らしく、心臓に命中し……。

青年は野原を歩きながら、思い出してみる。スリルを求めつづけの、充実した毎日だったなあ。面白かった。

　しかし、秘密活動であるため、名も知られず死ぬのはつまらないから、やってきたことを書きとめて、弁護士にあずけておいた。三カ月ごとに書き足し、追加してきた。

　死んだら、新聞社につとめている友人に渡してくれるようにたのんである。組織のためには働いたが、あの国に義理があるわけじゃない。あとは野となれだ。

　すごい特ダネになるはずだ。きっと、大きな記事になる。わざわざ外国のスパイになり、自分の国で他国のスパイたちを殺し、そのあげく殺されたのだから。

　物好きなやつだと、評判になるだろう。全文は週刊誌に連載され、本にまとまって売れ、テレビ化されるかもしれない。そう思うと、あきらめもつく。いや、あきらめどころか、楽しくてならない。

　野原を歩きつづけると、川があった。小舟があって、そばに老人がいる。泳ぐよりはと、たのんでみる。

「むこう側へ渡してくれませんか」

「いいですとも。しかし、その前に水でも一杯」

「そうだな」

　なにげなく川の水を飲むと、気力がよみがえる。老人が言う。

「まだ死にたくないでしょう」

「ああ、そんな感じだ……」

青年は少し考えてから言った。

「……いや、まてよ。なんだか前にも、こんなことがあったような気が……」

「いいじゃないですか、生き返れるのですから。もっとも、別人としてですがね」

と老人に言われ、青年は聞いた。

「ありがたいことかもしれませんね。しかし、前回もそう、今回もまた。なぜぼくだけが、そうなのです」

「サービスですよ」

「それについては感謝します。しかし、ぼくにその資格があるとは……」

「あなたのような風変りの性格の人がいないと、現世がつまらなくなる。危険なことを軽率にやる人がね。生きている人たちには、せいぜい楽しんでもらいたい。つまり、その人たちへのサービスなんです」

「なんだ、ぼくへのサービスじゃないんだな」

「あなただって、けっこう楽しんでいるんですよ。ずっと前には、明智光秀という名でここへ来たこともあった。吉良邸へ討入った四十七人のひとりとしてここへ来たこともあった。花火倉庫に火をつけ、なかに飛び込んで遊女と心中。ねずみ小僧として処刑されて来たこともあった。つぎも、せいぜいがんばって下さい。あの人と交代して……」

ばかげていると思いかけたが、あとからやってきた人とすれちがうと、戻ってゆく歩き方が早くなって……。

退屈

三十代の男性。妻とむすこがひとりいる。つとめ先の会社は堅実な経営で倒産の心配などぜんぜんないが、きわめて地味で、彼の仕事も経理の点検という派手さのないものだった。

ある日、会社の帰りに、ひとりでバーに入った。気がむくと十日に一回ぐらい寄る、そう大きくないバーだ。マスターと女の子がひとり。気楽なムードの店だ。

酒も飲まず、通勤の往復のくりかえしだったら、平凡そのものになってしまう。カウンターの席にかけ、ウイスキーの水割りを作ってもらい、半分ほど飲んでつぶやく。

「退屈だなあ」

マスターが応じた。

「退屈しのぎにお酒。けっこうなことではありませんか。やけ酒だの、失恋の酒なんてのより」

「そうなんだが、しかし、ねえ……」

そばの客が話しかけてきた。

「退屈とは、仕事が少ないせいですか」

そっちをむくと、初老の男がいた。この店では、お客どうしが話しあうことも多いのだ。前にここで会ったことがあるかどうかは、思い出せない。三十代の会社員は言う。

「仕事になれてしまったんでしょうね。変化がないんです。会社づとめですが、営業関係じゃなく、経理ですからね」

「重要な部門ですよ。見落しがあったら、大変なことでしょう。神経を使うはずだ。きっと、あなたは人並み以上の頭なんですよ。だから、仕事が単純に思えてしまう」

「そんなことは、ありませんよ」

「毎日が無事。会社が安定している証明です。ぜいたくな悩みですよ」

「ええ、それはわかっているんですが、気分に関することですからね……」

会社員がつぶやくように言うと、初老の男はうなずいた。

「わかりますよ。世の中には、そういう人がいるのです。いて当然なのです」

「そのお言葉から、なにか意味ありげなものを感じますが」

「まあね。じつはわたしもご同様で、それをなんとか解消していましてね」

「そんな方法が、あるのですか」

「そうです。しかし、だまって手に入るものではありません。かなり刺激的な体験です。それなりの決心と実行の結果によって、得られるものですよ」

「どんなたぐいですか」

「非合法とまではいかないまでも、犯罪に近いものです」

「なんだか魅力的なことのようですね。もっと、くわしく教えていただけませんか」

「では、一週間後に、ここで。それまでに、決心したものかどうか考えておいて下さい。お話しするからには、聞き流されるだけでは困るのです」

というしだい。つぎに会った時、会社員は初老の男に言った。

「この一週間の長かったこと。期待が頭のなかでふくらむ一方でした。決心は、あの時にすぐついていたのです」

「熱心ですなあ」

「人は退屈をまぎらすためには、きわめて熱心になるものなのでしょう。会社以外での遊びとなると、別人のように張り切る人がいますものね」

初老の男は席を店のすみに移し、ポケットからメモ用紙と筆記具を出した。

「いま、地図を書きます。ここから歩いて二十分ほどの高級住宅地。そのなかでも、とくに目立つ一軒です。ここです」

印がつけられた。それを受け取り、会社員は聞いた。

「そこへ行くのですか」

「そうです。大変な金持ちが住んでいる。金銭というものは、ふえはじめ、はずみがつくと、とてつもなくふくれあがるものらしい。わたしは、ある事業計画を持ち込んだ。資金の規模は……」

　初老の男は、メモ用紙に数字を書いた。都心にビルがひとつ建てられそうなほどの金額。それを見て、会社員はふるえ出した。

「だめです。わたしの手には、おえません」

「経理の仕事で、大きな数字にはなれているんでしょう」

「それはそれ。現実に狙おうとなると、ちがってきますよ」

「まあ、終りまで聞いて下さい。あとで資料をお渡ししますが、これは数カ国が関連しているレジャー産業。しかも、健康に重点をおいた点が特長です。いかに将来性があるものか、だいぶ吹き込んである。といって、すぐに出資とは、簡単に進展はしません」

「そうでしょうね」

「金持ちほど用心ぶかい。あらゆる面から調査、検討したがる。その調査費については出し惜しみしない」

「なるほど、なるほど」

「ね。そこであなたは、事業計画の調査の専門家として乗り込むのです」

「どう持ちかけたものでしょう」

　と首をかしげる会社員に、初老の男は言う。

「そう自称したって、信用してはくれません。ある人からの紹介状を作ってあります。その人は入院中で面会謝絶、たしかめようがない。とにかく、あなたの誠実さを売り込むことです」

「なんとか、やれそうな気になってきました」

「着手料がもらえます。それで満足してもいいのですが、少し報告書を作って見せるほうがいい。そして、どうも気になる点がある。何人かの学者を同行して、現地調査をしたほうがいいと申し出てみる。かなりの金を出してくれるはずです。わたしとの山分けを忘れないようにね。あなたの手には、マンション一戸を買えるぐらいの金が残るはずです」

初老の男に説明され、会社員は言った。

「あとのことが気になります。詐欺だとさわがれたりしては」

「本名でやるわけじゃない。金を奪われ、拷問を受けたという、簡単な手紙でも出しますか。集団の秘密組織の妨害らしく思わせる。本来なら自分がそんな目にあうところだったと、あきらめた上に、内心ではほっとするはずですよ」

「うまくいくといいですね」

緊張しながら、とりかかった。その豪華な家には、金持ちの老人が、夫人と住込みの運転手とで住んでいた。多忙な生活ではないようだ。金があるので、あくせく働く必要もないのだろう。

しかし、例の計画に関しては、出資の見とおしについて不安がっていたので、話にはすぐに乗ってきた。

　ことはうまく展開した。けっこう演技力があるなと、自分でも感心するほど。

　一段落し、初老の男とバーで会い、金を山分けする。会社員は言う。

「なんとかなるものですね」

「計画が完全だったからです。いつもうまくいくとは限りませんよ。この程度でおやめになっておくのがいいでしょう。あなたも、まあ、ご満足でしょう」

「ええ、いい思い出になりましょう」

　と思ったのだが、完了というわけにはいかなかった。それから何日かして、彼はひとりの青年の訪問を受けた。休日に自宅へやってきたのだ。そいつは言う。

「さっそくですがね、あなたはよからぬことをなさいましたね。ほら、顔色が変ったでしょう。もともと、大芝居のできる才能なんかないんです」

「なんのことです」

「調査費と称し、ある人から金をだまし取った」

「どうして、それを……」

「ほら、白状した。ぼくは若いけど、そういうことをかぎつけるプロなんですよ。きれいな仕事じゃないと承知の上で、やっているんです。弱みを持つ連中から金を巻き上げて食っているのです。あれは失敗したものと思って、手にした金を全部お渡し下さい。額もわかっているのです」

「せめて半分にしてくれないかい。あれだけのことを、やったのだ」

「だめですね。表ざたにできないことでしょう。ぼくは失うものはないけど、あなたは会社をくびになります。そのへんをお考えになることですね」

「じゃあ、分割払いにしてくれ。じつは、いい気になって遊びに使ってしまった。そのぶんの金策をしないとならない」

「いいでしょう。まず半分、一カ月後に残りということで」

青年の帰ったあと、会社員はがっかり。楽しい気分も、すっかり消えてしまった。

バーへ出かけてみたが、あの初老の男はあれから姿を見せず、住所もわからないとのことだった。相談のしようもない。

ついに全額を巻き上げられてしまった。

三カ月ほどして、不快な思い出を忘れかけたころ、彼は信じられぬ光景を見た。あれをそのかした初老の男。大金持ちの老人。あとから恐喝にやってきた青年。その三人がレストランで談笑しながら食事をしていたのだ。

気分が混乱し、れいのバーに寄ってマスターに聞く。

「いつかの人は……」

「あれからずっと、いらっしゃいません」

「じつはだね、あの人にそそのかされ、ある人から金を巻き上げた。しかし、そのあとにやってきた青年におどされ、それをみんな持っていかれた。仕方ない経過だし、いい経験にもなったよ。それはそれとして、さっき、その三人が仲よく食事をしているのを見かけた。わけがわからん。どうやら、ぐるだったとしか思えない」

「妙な話ですねえ。で、お客さま、こうむった被害となると……」

そう聞かれ、彼は考えこんだあげく言った。

「金銭的にはなにも。しかし、いい笑いものにされたのかと思うと、不愉快だね。それにしても、なぜ手間をかけてわたしを巻き込んでまで、あんなことを……」

「退屈しのぎじゃあないんですか」

「うん、そうかもしれない。思い当るぞ。あの、そそのかしたやつ、退屈解消法を知っているって切り出した。上には上か。なんとか仕返しをしてやりたいが」

ぼやく彼に、マスターが言った。

「おやめになったほうが、いいんじゃないでしょうか。歯が立ちそうにありませんね。世の中、持ちつ持たれつですよ。結局、あなたは退屈を一時的に忘れることができた。知らぬが仏ですめばよかったんでしょうが、真相を目にしてしまった。くやしさ一杯でしょうが、まだ当分は退屈感どころじゃない」

「それはそうかもしれないが……」

「もしかしたらですけど、こういう水商売をしていると、いろんなことが耳に入るんです。その三人、趣味でもあるでしょうが、外郭団体とはいえないまでも、警察の黙認のもとでやっているのかもしれない。普通の恐喝だったら、とことんまで金をせびるはずなのに」

「そういえばそうだな。しかし、なんのために、そんなグループが……」

「なにかをやってみたがっている人物があったとします。ほっておくと、とんでもないほうに走りかねない。そのためには、ほどほどのことをやらせ、非合法な行為は引きあわないとさとらせる。社会の平穏に役立つというわけでしょう」

「言われてみれば、そういうこともありうるな。趣味となれば、真に迫ってやれるわけだ。しかも、何回もやっているとなるとね。しかしだよ、その目標の人物を、どうやってさがし出す。そっちの手間のほうが大変だ」

「それは、また別な連中の分担なんじゃないですか。それとなく他人のようすを観察するのが好きな人がいる。退屈がまぎれますものね。あの人は調子がおかしいようですと、警察へ通報する。つまり、警察はその仲介をしているわけで……」

「油断もすきも、あったものじゃない。人間不信におちいるね。こわくなってきた。まあ、ここ当分、まじめに仕事にはげむのが無難というものだな」

「そうですね」

彼の帰ったあと、店の女の子がマスターに言う。

「途中からお話を耳にしちゃったんですけど、警察に関連のあるグループがあって、その一方、人物調査の組織があるとか。あのかた、深刻になって帰っていきましたわ」

「そうみたいだね」

「本当なんですの」

「さあね、あるかもしれない、あったら面白いと思いついての話さ。たぶん、ないだろうけどさ」

「だったら、あのかたをおどしちゃったことになるでしょ。お店を出る時、青ざめていたわよ」

「おれの身にもなってみろ。毎日、同じような仕事のくりかえしだ。たまには他人をひっかけ、退屈をまぎらせたくもなるというものさ」

病名

その男は四十代のなかば、医者で、大きなビルのなかの一室で健康医療コンサルタントを開業していた。簡単な応急手当ての器具や薬品の用意はあるが、めったに使わない。患者の訴えを聞き、診断をし、それにふさわしい分野の適当な医院を紹介するのが仕事だった。たとえば……。

その日の最初の患者は、三十歳前の青年だった。それを迎えて言う。

「どうなさいました」

「じつは、ぼく、このビルのなかにある会社の社員なんです。しかし、よく遅刻をしてしまう。きょうはとうとう課長にどなられ、医者へ行ってみてもらえと言われました。そんなことをしてもと思うんですが……」

「そうでしたか。なかなかすぐれた課長さんですね。むかしは経営コンサルタントのたぐいに相談し、高い金を取られていたものです。それでいて、たいしていい結果にならない」

「課長の言う通りなんですか」

ふしぎがる青年に、医者はうなずいた。

「そうです。賢明な判断です。あなたは、正常ではないのですから」

「専門の医者のかたからも、そう言われるなんて。たかが何回かの遅刻じゃありませんか」

「まあまあ、心理的な驚きはあったでしょう。しかし、そこから考え方を発展させれば、かえって気分がすっきりするのです。あなたは定刻出勤不適格症という一種の病気なのです」

「はじめて聞いた。なんで、また……」

「医学で扱う領域はひろまっているのです。それは潜在意識と関連しています。おみかけしたところ、あなたは優秀な才能をお持ちのようだ。そのことが頭のすみにあって、普通の他人とはちがった行動となって現れてしまう。ね……」

「そうおっしゃられると、そんな気もします」

「この症状にくわしい医院を紹介します。行ってごらんなさい。診断書をもらって、課長にお見せになるといい。なっとくしてもらえるでしょう」

「しかし、それでは会社に迷惑が……」

「遅刻したぶんだけ、残業手当なしで働き、埋め合せればいいでしょう。病気なんですから」

「だけど、病気となると、昇進にさしつかえるでしょうね」

「あなた、まだ独身でしょう」

「ええ」

「結婚すれば、なおりますよ。もっとも、また別な症状が現れるかもしれない。そうなったら、またおいで下さい」

「はあ」

青年は出ていった。指示どおりにやり、快方にむかうことだろう。

しばらくすると、女性の患者がやってきた。三十歳を少し越した、まあまあの美人。医者が聞く。

「どうかなさいましたか」

「ここへうかがうのは、どう考えてもおかどちがいのようなんですけど、評判もいいし、すすめる人もあって……」

「事情をお話し下さい」

「亭主が浮気者で困っていますの。あたしのことをきらいになったのではないらしいんですけど……」

ひととおり聞いてから、医者は言った。

「どうやら、あなたは被浮気症候群になっておいでのようですね」

「え、あたしが病気だなんて」

「広い意味で、そうとらえることができるのですし、また、そうしたほうが扱いやすいのです。むかしはバクチ好き、いまはそれをギャンブル愛好症と呼ぶようになったのと同じです。

71
14,935,
1,000,000,000.0
5,935
15,935,71

バクチ好きでは手のつけようがありませんが、ギャンブル愛好症という見方をすれば、対処の方法も生れてくるというものです」

　女はまばたきをしながら聞いていたが、やがて言った。

「そういうものとは知りませんでしたわ。でも、なぜ、あたしが。亭主のほうが浮気愛好症ってことはいえませんの」

「そうではないようです。特定の女性が相手とか、深入りの傾向もないようですから。まあ、この症状を扱いなれている医院を紹介します。まず、あなたが、それからご主人がお出かけになってみて下さい。きっと、うまくおさまりますよ。離婚なんかなさってはいけません。ばかげています。弁護士に高い料金を取られるだけです。双方ともにね」

「わかりました」

　彼女の表情は明るくなった。とにかく、見とおしだけはついたのだ。

　それと入れかわりに、四十歳ぐらいの男が入ってきた。医者は椅子にかけさせて聞く。

「どうなさいました」

「いえ、わたしはなんともないのです。うちの子供のことでご相談に……」

「どんなぐあいなのです」

「小学二年の男の子なんですが、夜中に目をさまして、幽霊を見るんです。声を聞いてそばへ行き、あかりをつけるがなんにもいない。暗いなかに見えるそうなんです。そんなことが、三回もあった。姿や顔がどんなかを話させると、どうやら、ずっと前に死んだわたしの祖母らしい。ですから、でまかせを言っているとは思えない」

「ははあ、幽霊感覚過敏症のようですね」

「そんなのがあるんですか」

「ええ、幼いころの一時期、そういう状態になりやすいものなのです。成長すると、しぜんになおるのが普通です。しかし、UFO感覚過敏症となって現われることがありますが、この二つには微妙なちがいがあります」

「UFOが病気のせいとは……」

「そう扱うのが、いまのところ最も適当なのです。あの正体がなんなのか、いまだに解明されていないのですから」

　そう言われ、男はうなずく。

「なるほど、UFOをよく見る人と、ぜんぜん見ない人とがありますね」

「からだの感覚で、あしたの天気を天気予報以上に的中させる人がいます。これも一種の過敏症です。そういった能力は、古代の人ならみなが持っていたものかもしれない。つまり、多くの人が鈍感状態になってしまったともいえるのです。症状と呼ばれるのは、数が少ないというだけの理由です」

「そうもいえますね」

「いい例がアレルギー。ある種の花粉が原因のひとつとは、昔の人は知らなかった。敏感というわけです。そういう体調であるということです。恥じたりすることはない」

「ところで、うちの子のことですが……」

「おたくの近くの、いい医院を紹介しますよ。過敏症を扱いなれている医師です。診察の上、完全に消すか、ほどほどに残すべきかをきめて、うまくやってくれますよ。少なくとも、悪化させるようなことはありません。まじない師の変なのや、つまらん祈祷師に大金を取られるより、はるかにましです」

「よくわかりました」

昼すぎになると、五十歳ぐらいの身なりのいい男が入ってきた。そして、医者に言う。

「うわさを聞いて、やってきました。じつは、わたし、近くにあるわりと大きな会社につとめている者ですが、取締役で営業部長という、異例のスピードでの昇進をしてしまったのです」

「けっこうじゃありませんか。努力なさったためでしょう」

「どうも、それだけじゃないような気がするんです。といって、心当りもないし」

「なにか裏の理由があるのかもしれないと、お悩みなのでしょう。早いとこ、ここへおいでになってよかった。お気にすることはないのです。あなたはいま、幸運症候群になっているだけのことです」

「それ、病気ですか」

「症状とは、人間のある状態についての呼称なのです。幸運の正体は、まことにつかみにくい。しかし、勝負ごとを例にとると、ツキという現象は、たしかにある。精神と肉体の周期、バイオリズムとしてとらえ少しずつ解明されていますが、完全にはとらえられていない。しかし、人間にとっての、ひとつの症状であることはまちがいない」

「はあ」

「それを、すなおにみとめればいいのです。荷が重いのではとか、同僚に悪いとか、よけいなことに頭を使うことはない。社長に高価なとどけ物をすることも、必要以上に部下にごちそうすることもない。かえって、なにかあると思われてしまいます。この分野でのいい医院を紹介しますから、行ってみて、いろいろ注意を受けて下さい」

　そう言われ、男はほっと息をついた。

「なんだか、気が楽になりましたよ。それにしても、幸運症候群とはねえ。となると、その逆もあるのですか」

「ありますね。わけもわからず、不運のつづく人です。早く手当てをすれば、悪化だけはくいとめられるのですが、自分でそうとはなかなか気がつかない。そんな人が、衝動的性格症の人間と接触することです。犯罪になりかねず、好ましくない結果となる。あなたも、お気をつけて下さい」

「そうしましょう。しかし、医学の進歩が、こうまではば広いとは知りませんでした」

「いずれは、政界の重要人物たちが、定期的にこの種の診断を受けるようになるでしょう。国そのものを健康にするために」

「そうですね。そうあるべきです」

男は帰っていった。

「やれやれ、きょうは、いろんな患者が来たなあ」

医者がつぶやいた時、二人の男が入ってきた。いずれも、たくましいからだつき。

「健康コンサルタントとかをなさっているのは、ここですね」

「はい。どうなさいました」

「われわれは、政府のある機関に所属する者です。あなたのような療法を使う連中が、各地にふえている。そのおかげで、営業不振になる業種が続出している。流行敏感症といった言葉を作り出されたおかげで、服飾産業が困っている。買いかえる人がへったからだ。慈善団体も困っている。寄付愛好症は自己顕示欲のあらわれと言われれば、金を出したくなくなってしまう。お寺もだ。法事愛好症は、罪ほろぼしと祖先誇示が原因と言われると、ごくひかえ目にやるようになる」

「どれも本人のためでしょう」

「本人以外には、マイナスの現象だ。ほっとくと、不満が社会にひろがる。最近は、政界の一部にも食い込みかけているそうだな。いまのうちにつみとるべきだとの決定が下された。いっしょに来て下さい。しばらく社会から隔離します」

「むちゃだ。不当逮捕だ」

「医者のなかに、症状命名愛好症の傾向のある者がふえている。こう発表すれば、大衆の抗議も起らない。かえって、よくやってくれた、です。さあ、行きますか」

「ひどい。きみたちは、権力発動愛好性格だ」

「ほら、また命名した。まあ、なんとでもおっしゃい。われわれは上の命令に従うだけのことです」

多角経営

その三十代なかばの男は、ひとりで山ぞいの道を歩いていた。用事があってではない。これが趣味なのだ。

本職は中小企業相手の経営カウンセラー。マンションに一戸を所有し、住居兼事務所として使っていた。お得意先もけっこうふえ、運営は順調だった。

まだ独身。しかし、こういう趣味のため、休日を持てあますことはなかった。四季をとわず、山歩きはいいものだ。

「このへんで、ひと休みするか……」

見晴しのいい場所で、男は足をとめた。そばに長めの石が立っている。

「……上からころげ落ちてきて、こうなったのだろうな。どうも安定感がない」

力をこめて押すと、石は倒れた。ベンチがわりにちょうどいい。男は腰をおろしながら、ウイスキーの小びんを出し、グラスがわりのふたについだ。少しこぼれたが、それを飲み、さらに一杯。

その時、どこからともなく声がした。

「もしもし、旅のかた……」

男は、飲みかけのウイスキーにむせた。なにごとだ。あまりに突然。時代がかった口調。見まわしたが、だれもいない。いやな気分になる。もしかしたら、この石がなにかの供養の碑で、そうとは知らずに倒してしまい、腰をかけて酒を飲んだ。たたられても仕方ないかもしれない。いずれにせよ、早いとこ、あやまるに越したことはない。

「どうも、まことに申しわけありませんでした。いわれのある石とは、知らなかったもので。さっそくもとに戻し……」

「まあまあ、あやまることはないのだ。よろこばしいことで、わしはお礼を申したいのだ。むかし、戦国の時代、わしは武将だった。合戦があり、わしは敵と戦い、最後に部下とともにここで包囲された」

「そのことが、いま、なぜ……」

「まあ、ひと通り話させてくれ。もはや脱出は不可能。みなあらん限りの力を出して対抗したが、ついに全滅。わしは首を切られて持ち去られ、残った死体はここに埋められた。そして、成仏しないようにと石をのせた」

「ひどいものですね。それで不自然な置き方となっていたわけか。供養のためじゃなく」

「供養の逆だよ。あなたは、その石を倒し、しかも酒をそそいでくれた。これで、やっと成仏できるというものだ。ありがとう」

「よかったですね。では、やすらかに」

男はいいかげんでこの妙な声と別れたかったが、そうもいかなかった。声は言う。

「わしはお礼をしたいのだ」

「けっこうですよ。掘ったって、刀やヨロイなど、さびてぼろぼろでしょう」

「そんなたぐいではない。大きな力をさしあげる。長い年月のあいだ、わしは成仏できぬうらみを抱きつづけてきた。いまの言葉でいえば無形のエネルギーで、大変なものだ。人をのろい殺せる。無限にとはいかないが、ここでともに死んだ部下の数だけの人は殺せる」

「そんな……」

あまりのことに、男は青ざめた。

「遠慮することはない。持っていて損はあるまい。いやなら使わなければいいのだ。使ってくれと強制したりはしない。ある人物に対して、いなくなれと念じれば、それは実現する。簡単なことだよ。もう、すでにその能力はあなたにそなわっている。では、さらばじゃ」

声はそれ以上しゃべらなかった。

旅から帰り、男は新聞を見た。冷酷な殺人犯の記事がのっていた。ぜんぜん反省してないらしい。こういうのに限って精神鑑定だのなんだので、軽く処理されてしまうのだ。遺族は浮かばれない。男はその犯人のことを考え、念じてみた。旅での体験を思い出したのだ。

「こういうやつは、いなくなれ」

ききめがあれば面白いのだが。

二日後の新聞で、そいつが留置場のなかで自殺したことを知った。他人のも自分のも、命をなんとも思わぬ性格と説明した記事ものっていた。のろいのせいか、偶然の一致なのか、判断のつけようがない。

その新聞のべつなページには、ある小国の支配者で、横暴きわまる人物のこともものっていた。その写真を見ながら念じてみる。

数日して、クーデターが発生し、支配者が射殺されたとのニュースに接した。どうやら、あの声の告げたことは本当のようだ。

男は、マンションの住居兼事務所の入口に〈人生相談所〉の看板をも加えた。顔みしりの商店主がやってきて、相談をすませたあとで聞いた。

「看板がふえましたね」

「まあ、多角経営というわけで」

「具体的にどういうことを……」

「なんでもですよ。人生の不平不満。それを取り除くか、少なくしてさしあげる仕事です」

「そうはいっても、万能というわけにはいかないでしょう。ご存知のように、わたしは今こそ小さな店をほそぼそとやっていますが、もとは金まわりのいい会社を経営していた」

「そうでしたね」

「そこへ、親切ごかしにあいつが入りこんできた。お手伝いしますと言ってね。その結果、わたしはだまされ、金はごまかされ、不動産までとられた。非合法すれすれのやり方でね。許せない。被害者は、ほかにもたくさんいるのです。社会の敵と思いませんか。多くの善良な人が泣いているのです。やつのことを考えると……」

感情が高ぶってきた。男は先を言う。

「殺したいとお思いでしょうね」

「もちろんですよ。法律さえ許せばね」

「やってあげましょうか」

「冗談でしょう。できっこない」

「ためしにおまかせ下さい」

客の帰ったあと、男はその問題の人物について念じてみた。

三日ほどして、先日の商店主がやってきて言った。

「ついに死にましたよ、あいつ」

「そうでしょう」

「しかしね、くわしく聞くと、いつ発作が起って死んでもふしぎはない状態だったそうですよ。あなたには予知能力があるんですね。謝礼というわけにはいかないけど、盛大に祝杯をあげましょう。おごりますよ。さあ、出かけましょう」

酒を飲みながら、男は言った。

「こないだ、留置場内で自殺した犯罪者があったでしょう。また、クーデターで殺された支配者があったでしょう。じつは、どちらも、わたしが……」

「まあまあ、そういうことは、おっしゃらないほうがいい。かえって説得力がなくなります。新聞記事を読んでの話と思われてしまう。それについての予感のあったのは、たしかなんでしょうけど」

「予感だけじゃないんだがな」

「われわれの知っている人で実例を示さないと、信用できませんよ」

「だけど、罪もない知人は殺せない」

「でしょう。きょうは楽しく飲みましょうよ」

事情をわかってもらえない。

それから二件、そういう依頼を受け、成果をあげた。しかし、超能力によるものと信じてくれない。死ぬべくして死んだという形の死に方なのだ。

どうやら、この超能力は金にならないしろものらしい。

そう思いかけたころ、どこかすごみのある目つきの中年男がやってきた。

「ここで、殺人うけおい業をやっているといううわさを耳にした。そういう話については、警察以上に敏感なのだ。おれもひとつの組織を持っている。しかし、もっとたちの悪い犯罪専門の組織もあるのだ。できたら、そのボスについてたのみたいのだが……」

そいつは部屋のなかを見まわした。事務所の主は強そうでもなく、にこにこしており、あたりに凶器らしいものもなく、すごみも神秘的なムードもない。あてはずれの口調になる。

「……と思ってきたのだが、むりなようだ。たちの悪いデマというわけか。警察のしくんだワナというほど、手のこんだ芝居でもないらしいし」

「ばかにしないで下さいよ。必ずやりとげてごらんにいれます。好ましからぬ分野のかたのようだが、ともかくわたしの才能に関し、半信半疑ながらもやってきた最初の人だ」

「なかなか面白いやつだ。よし、前金で払おう。だめだったら取り戻しに来るぞ」

かなりの札束と、目標のボスの写真を置いていった。そのあと、男は念じた。犯罪組織のボスに同情はいらない。

何日かして、中年男がやってきた。そいつに言う。

「新聞には出ないようですが、たぶん死んだはずですよ」

「たしかに死んだ。それはみとめよう。どうやるのか注意していた。事故をよそおわせるのか、中毒にみせかけてかなどね。それがなんと、脳出血じゃないか。一流の病院で手当てを受けたあげくにだ」

「お約束ははたしましたよ」

「念のためにと、二、三の医者に聞いた。人工的に脳出血を起させることができるかとね。

強くぶんなぐればそうなるが、いわゆる脳出血はむりだそうだ。本人も血圧を気にして、室温などに注意してたらしい。となるとだ、こういうのは殺したとはいわない。ただの死亡だ。あの金、全部とはいわないが、半分はかえせ」

そう言われ、男は顔をしかめた。

「心外ですなあ。ぜひというのなら、そうしますが、つぎはあなたの可能性もありますよ」

「そんなふうに、けろりと言われると、うすきみ悪いな。いくらかは信じはじめたというわけかな。どうだ、もうひとりやってくれないか。死んだやつの一の子分だ。金は渡す。写真はこれだ」

「そうたのまれると、断わりにくいな。やりましょう」

一カ月ほどして、そいつはやってきた。

「あれ以来、やつの消息を聞かない」

「そうでしょう。死んだのですから」

「みたいだな。あの組織の連中もうろたえている。しかし、死んだという証拠がない。どうなってるんだ」

「そこまでは知りませんよ。酒に酔って川へ落ち、大雨による増水で海へ流されてしまったのかもしれない。密輸が表ざたになってはと、どこかの国のスパイに消されたのかもしれない。とにかく、この世からいなくなったことはたしかです。死体が見たいといっても、あなたの家の押入れから出てくるよりはいいでしょう」

「それはそうだがね」

「ふたたびあらわれたら、お金はおかえししますよ」

「すごい自信だな。火のないところに煙は立たぬ。うわさをたどってきてみて、とにかく依頼どおりに二人が消えたのだ。ひょっとしたら、本物かも……」

「もっと早くわかってくれてもよかったのに。疑わしい目で見られるのは、いやなもんですよ」

相手はしばらく考えてから言った。

「となるとだ、いかなる権力も手中にできることになるぜ。やってみないか」

「うまくいきますかね」

「つぎつぎと、対立相手を消していけばいいんだ。考えてみろよ、トーナメント戦の最終まで勝ち抜ける保証がついてるのと同じだ。アドバイスするぜ。もうすでに、何人かやっているんだ。いまさらあとに引くこともないだろう。もっとも、おれを殺すなよ。毎月、ちゃんと金を払うから」

「少し考えさせて下さい」

男は何日か考え、決心した。

やってみよう。うまくいけば、世界征服も可能なのだ。歴史上、だれもなしえなかったこと。

しかし、男の気づいてないことがひとつだけあった。あの声の主の武将とともに死んだ部下は七人。もはや、もらった能力を使いはたしていることを。

甘口の酒

あるビルの地階の、四季を通じてやっているビヤホールのなか。おとなしそうな青年が、初老の紳士に話しかけた。

「あの、紹介もなしに声をかけたりするのは失礼と思うんですけど……」

「ああ、時たま、ここでお見かけするかたですね。なにかご用ですか」

「きょうは、おひとりのようですね」

「どうやら、そういうことになっていますな。いつもなら、だれか知り合いが来ていていいころなのに。しかし、仕方ありません。待ち合せではありませんからね。それぞれ、仕事のつごうか、奥さんの電話かで、まっすぐ帰宅したのでしょう。わたしも、これを飲み終ったら出るとしますか」

「少し、おうかがいしてかまいませんか」

「一般的なことならね。家庭の事情など、質問されたら困りますが」

笑顔で紳士にうながされ、青年はほっとした表情になった。

「ここでは、よく、二、三人のかたとお飲みになりますよね。じつに楽しそうに。そして、その人たちもさまざまだ。会社の同僚や部下たちといった感じではない。商売の関係だったら、ああまでうちとけられない。学校の先輩後輩ともちがう。おたがい、尊重しあっていますものね」

「なかなか観察が鋭い」

「しいてあげれば、同好の士といったところですね。なにか趣味を同じくしているとか」

青年に指摘され、紳士は軽く何回かうなずいて言った。

「趣味ねえ。うん、広い意味でいえば、そうともいえましょうね」

「みなさん、まさに談笑ですね。心から会話を楽しんでおいでだ」

「そうですな。つまりは、それが趣味なんですよ」

青年は口ごもりながら言った。

「いつだったか、つい耳に入ってしまいましたよ。盗み聞きするつもりなんかなかったんですけど、関心があったせいでしょうね」

「それに、声の大きいのもいるし。で、なにをお聞きになりましたか」

「どなたかが、酒は甘口に限ると言った。すると、ほかのかたが、まったくです、辛口の好きなやつはショウチュウを飲んでればいい。とにかく、甘口。くちびるにべとっと残るのがいい。そして、そばにはきれいな芸者さんがいて、とか……」

「おやおや、そこまでもね。ええ、話題がとぎれた時など、だれからともなく、それをしゃべりはじめるのです。言葉のウォーミング・アップでもあり、原点の確認でもある。そこから新しい話題が出てくるのです」

「合言葉みたいなものですね」

「合言葉ではあるけど、秘密ではない。しかし、会員じゃなくちゃあ、意味のないものです」

「会員……」

どんな会なのかと、青年はふしぎがった。紳士はつづけた。

「そうなのですよ。甘口の酒を愛する、知識人のクラブ。それが正式の名称です。知識人とはおこがましいが、こういう文句が上にくっついていると、いやらしさもなくなる。また、話題が豊富でないとつまりませんので真の意味での知識人でないと困るのです。ですから、この道ひとすじというタイプの人はおりません」

「よく、辛口がいいと言われてますが」

「そういうことへの反発さ。こざかしいやつらが、それを言う。ものの味のわからんくせにだ。それなら、やつら、コーヒーをブラックで愛用しているか。してないんだな。どこの豆がとか、挽きぐあいとか通ぶって、そのあげく、砂糖とミルクを入れやがる。や、つい、言葉が荒くなった。要するに、知ったかぶりの口出しを好まんのです」

「するとみなさん、甘口のお酒のよさをおみとめになっておいでなのですね」

「というわけではない。だったら、ビヤホールなんかで飲みやしないよ。つまりは、くだらん背のびをしないで会話を楽しむってことさ。ざっくばらんでありながら、いくらか高度な内容。こういうのは少数派なんだ。それだけに、親しいつき合いとなる」

ビールの酔いのせいか、紳士の口調はなめらかになった。青年もなっとくした。

「そういう交際はいいものでしょうね」

「しかも、仕事のことは決して持ち込まない。会員は、なにもこのビヤホールにだけ集るのじゃない。休日の午後など、マンションの多い地区のなかの小さな公園なんかで、何人かが会話をかわし、笑いあったりもしているわけです」

「うらやましくなってきた。入会させていただけませんか。そんな会があるなんて、ぜんぜん知らなかった」

「それについては、すぐにお答えはできません。提案はしてみますが……」

何日かたって、青年はビヤホールで紳士を見かけ、近よって聞いた。

「このあいだの件、どうでしたか」

「入会の件ですね。わたしが推薦したのですが、だめだった。あきらめて下さい」

「どこがいけなかったんでしょう」

「あなたを知っている人がいた。どこかで話したことがあるんでしょうね。その人も入会賛成にまわったのです。あなたは若いのに、礼儀ただしい」

「それなら……」

青年は不満だった。

「規定なんです。入会については、会員三名が集った時に相談する。推薦ひとり、反対二人で入会決定となる。この会は多数決じゃなく、少数決が主義なんですのでね」

「そんな会則なんて、聞くのもはじめてだ。うまくいくのですか」

「でしょうな。いままでつづいているんですから。つねに少数派になろうとしている。前にもお話ししたでしょうけど、だから同情しあうんですよ。精神的なつながりも強まる。入会者の立場になってごらんなさい。反対が多数のなかに入るんです。神経だって使いますよ。そのため、日常生活の束縛のほうを忘れるというわけで……」

その説明を受けとめかねながら、青年は聞いてみた。

「よくわかりませんが、そういうものなんでしょうね。で、除名はないんですか」

「たまには、ある。あいつを除名したいという提案者がひとり、それに反対が二人の場合、除名が決定される。会報があるわけじゃないが、会話の会だから、たちまちのうちに全員に知れわたる」

「除名への反対者っていうのは、会員にしておけってのの意見でしょう。三人のうちの二人。なぜ、それで除名になるんです」

「問題の人物、除名提案者がいたということは、その人にいやな思いをさせたわけです。つまり、いやなやつ。そういうのがいれば、なんだかんだと悪口の対象になって、かげでの話がはずむんです。追い出しちゃったら、それができない。だから、会員にしときたい。ということは、かなりの悪質な人物ってわけですよ」

「微妙なもんですねえ。そうなると……」

青年はため息をついた。初老の紳士は言う。

「あなたは、まだお若い。楽しいことは、ほかにいくらでもあるでしょう。なにも入会を急ぐことはありません。一苦労も二苦労もし、中年をすぎ、面白いことは会話ぐらいとなってからでもいいではありませんか」

「でも、残念です。欠員が出来た時の順番待ちにしておいてくれませんか」

「わたしが推薦したので、いちおうそうなっています。しかし、この会の順番というと、列のうしろのほうが優先するんです」

「まさか、そんな。かなり、いじわるな性格もあるようですね。しばらくは見合せたほうがいいかな」

何カ月かして、紳士がひとりで飲んでいるのを見て、青年は話しかけた。

「そのご、あの会はどうなっています」

「解散したよ。わたしは出なかったが、まとまった人数が集って、総会のようなものが開かれた。解散を提案したやつがあったのでね。反対が多数。で、解散さ」

「そうでしたか。おかしな会ですね。しかし、さびしいでしょう」

「いいんだ。少数決の確認をしたようなものだから。すぐ新装開店になるよ。ピロロ姫を見殺しにする知識人の会という名になりそうだ」

「少女劇画の主人公かなんかですか」

「さあね。知らない人が大部分だろうな。なんとはなしに話しているうちに、しだいにはっきりしてくるよ。とにかく、安易なヒューマニズムを排除するところから出発する。今度は長くつづくだろうな」

「物好きですね。しかし、いろいろとお話をうかがってみると、中年になり、それをも過ぎたりするのも、そう悪いことじゃあ……」

期待感を含んだ口調の青年に、紳士は言う。

「さあね。まあ、なってみてのお楽しみってとこかな」

宿　直

その男は獣医師だった。ペットの流行でけっこう利益があがっていた。病床と称するものを自宅にいくつも作り、入院も引き受けている。しかし、飼主のごきげんとりにかなり神経を使い、独身ということもあり、夜になるとバーへ出かけて飲むことが多かった。

その夜はたまたま、大学時代に同級だった食品メーカーの本社づとめの旧友と会い、時のたつのを忘れて飲んだ。

「おやおや、もうこんな時間か」

男が言うと、旧友は顔をしかめた。

「いやだなあ、きょうは本社での宿直の日なんだ。退屈しのぎにと飲みに出たんだが、ご存知のように、新婚ほやほや。会社もそのへんを考えてくれてもいいのにね」

「宿直室にいればいいんだろう。とくに起きている必要も……」

「ああ。そうなんだ。ビル全体が警備保障の会社と契約していて、盗難の心配もない。なぜそれがつづいているかとなると、形式主義のためかな。人によっては、宿直で会社への親近感が高まるなんて説を口にする人もいるがね。退屈なものさ。朝になって入口が開けば、帰宅してよく、その日は休めるのだけどね」

「たしかに、新婚の人には気の毒だな。ぼくとしては興味があり、一回ぐらいは体験してみたいことだがね」

男が言うと、旧友は目を輝かした。

「それなら、やってみてくれないか。助かる。ここの代金は払うからさ。たのむよ。会社はそう遠くない。ぜひたのむ」

酒の勢いで引っぱっていかれた。大きなビルのなかの、地下一階の一室。べつにむずかしいことでもないようだ。ここで寝て、朝に帰ればいいということか。タクシー代も助かるし、いい話のたねになる。

「ここにいるだけでいいんだろうな」

男が聞くと、旧友はうなずいた。

「そうそう。トイレはそこ。朝になったら、このカギをビルの入口の受付けに渡してくれればいい。だまって受け取ってくれ、それで終りさ」

すっかりまかせたようすで、旧友はタクシーをとめて帰っていった。これで奥さんと、かなりの時間をすごせるというわけだ。

「調子のいいやつだな。しかし、そうひどいところではないようだ」

男はつぶやき、部屋を見まわす。バス、トイレつき。ベッドがひとつ。やわらかな照明。

彼にとって、こんなところにとまるのははじめてだった。冷蔵庫はなかった。ホテルではないのだ。しかし、ベッドのそばの小テーブルには、ウイスキーのびんがのっていた。

男は顔を洗い、ベッドに横になった。自宅にあずかって入院させているペットたちは、専門に世話をする係がいるので、気を使うことはない。それに、いまのところ重病のやつはいない。

ぼんやりと考えていると、異変はその時に発生した。

壁から美人が出現したのだ。三十歳ぐらいか。服装は地味だったが、色は白く、目鼻立ちがはっきりしていた。少し古風だが、めったにみかけない美人だった。

部屋のなかをゆっくりと歩き、ベッドの上の男をみとめると、首を傾けてにっこりと笑いかけ、そのまま歩きつづけて、もう一方の壁のなかに消えていった。

「なんだ、いまのは」

男はベッドから出て、出現したところと消えたところの壁を入念に調べた。ドアではない。布張りではあるがコンクリート製にちがいなかった。軽く体当りしたが、痛いだけだった。びっくりさせるしかけか。しかし、上からたれているスイッチのひもが、女に触れて揺れたことを思い出した。人工的な映像ではない。幻覚か、幽霊か、それ以外には考えられない。

どっちにしろ、いいものではない。これさいわいとそばのウイスキーを飲み、酔いの力を借りて眠った。翌朝、二日酔いぎみだったが、シャワーをあびると、いくらかさっぱりした。

ビルを出ると、朝。あれは夢じゃなかったかという気になってきた。幽霊の出る部屋を宿直室に使う会社など、あるわけがない。旧友に文句を言いたいところだが、笑われるだけのことだろう。あるいは、口止め料を欲しがってと思われるか……。


一カ月ほど、なにごともなく過ぎた。

たまに、口に出してつぶやく。

「それにしても、妙なことだったなあ」

自宅にいる時は忙しさにまぎれているが、外出すると思い出すのだ。そして、それと関係があるのかどうか不明だが、三十五歳ぐらいの黒い服の男性をしばしばみかけるようになった。すれちがうこともあり、うしろにいることもあり、ずっと前を歩いていることもある。尾行されているのだろうか。しかし、なんのために……。

もっとも、その人物は幻覚でも幽霊でもないようだった。駅の改札口を通るのを遠くから見かけたことがあったが、ちゃんと切符を出していた。それにしても、どういうことなのだ。

男は気にしつづけるのも精神状態に悪いだろうと思い、失礼なことでもあるまいと心にきめ、つぎにすれちがった時に声をかけた。

「もしもし」

「な、なにかご用ですか」

「教えて下さい。なぜわたしを尾行し、監視しているのですか」

男に言われ、相手の人物は表情を変えた。

「なんですって。逆でしょう。わたしはあなたにつきまとわれ、わけがわからず不安でならなかった。説明してもらいたいのは、こっちですよ」

そばの喫茶店に入って、二人は話しあった。相手は、本来はピアニストなのだがそれほどの芸術的天分がないかわり、子供に教えることにかけてはたぶん一流、ほうぼうからたのまれて忙しいと言った。妻がいて、小学二年の娘がいるそうだ。男は、自分は獣医師でペットの往診のために外出することが多いと自己紹介した。

「そうでしたか」

おたがいの誤解と判明した。自由業なら外出も多い。普通ならそのままだが、気にしはじめるときりがない。これもなにかの縁というわけでしょう。怪しげな相手でないとわかり、二人はほっとした。

何日かして、二人はまた会い、軽く一杯ということになった。今後は、すれちがってにっこりとなるわけだ。しかし、仕事についてのあらましは、先日に話してしまっている。面白がりそうなことの見当がつかない。たちまち話題がつきてしまった。もはや男には、とっておきのあのことしかない。

「世の中には、妙なことがあるものですね。じつはね、このあいだ、友人にたのまれてある会社の宿直をしてやったのですよ。すると、出たんですよ、信じてはいただけないでしょうが……」

「壁から出てきた美人に笑いかけられたなんて言わないで下さいよ」

「す、すると、あなたもあれを……」

男は声をあげ、相手も驚いた。

「この近くのビルのなかの、食品メーカーのでしょう。この目で見ましたよ」

「それだったら、なぜ評判に……」

「どうやら、社員には見えないらしいんです」

「すると、あの会社にうらみを持ってるのでもないようですな」

首をかしげる男に、相手は話す。

「あの会社の総務部長のお子さんにもピアノを教えている関係で、一回だけあそこにとまったことがあるのです。しばらくして、部長の親類が上京してきて、ちょうどいいと彼もそこへとまった。こわいもの知らずなのか、よほどの女好きなのか、あれに抱きついたそうですよ。びりっと感じ、手をゆるめたあいだに壁に消えてしまった。部長はその話を聞き、偶然なんでしょうけど、ちょうどその時間に大事な取引先の社長が死んだことと関連させ、宿直制度をやめてしまった。いまは書類保管室。まだ出現してるのかもしれませんが、もう目にする人はいないわけです」

「そうでしたか。しかし、あなたと知りあいになれたのは、あの女のおかげのような気もしますね。大丈夫なんでしょうか、このままで……」

男は不安げだったが、相手は笑った。

「気にすることはないでしょう。あれ以来、なにかまずいことがありましたか。うちはいいことつづきです。ずっと娘のからだが弱かったんですが、このところ、かぜひとつひかない。仕事もふえる一方。金を出すからピアノの塾を開いたら、との話もあるんですよ」

「そういえば、こっちも商売繁盛ですよ。そうだ、そういえば、弟がたちの悪い女にだまされて困っていましたが、きっぱりと別れてくれた。あのおかげでしょうか」

「笑いかけてくれたんですからね。少なくとも、好意は持ってくれていたんでしょうね。しかし、あなたもかなり順調となると……」

相手は口ごもり、男にもその気持ちはわかった。

「このままでいいのかどうかですよね。いいことがあって、悪いことはとくにない。つなげて考えたくもなりますよね。しかし、なにかしようにも、われわれの手におえない分野。そういうことにくわしい人を、心がけてさがしましょうよ」

「まあ、そうなりますね」

獣医師の男のところへ、ピアノ教師を業としている人から電話で連絡があった。

「先日の件、その道にくわしい女性を紹介されましたよ。まだ会ってはいないんですけど、ある種の能力はあるそうです。行ってみますか」

「そうですね。このままでは落ちつかない。行ってみましょう。なにかわかれば、ありがたい」

二人は日時や待ち合せ場所をたしかめあった。

出かけてみる。マンションを住居兼用の仕事場としていた。霊媒のたぐいらしかった。四十歳ぐらいの女性で、本当に必要なのか、演出効果のためか、妙な衣服をつけていた。五人ほど先客がいた。

順番が来ると、二人は言った。

「わたしたちには、どうもなにか、普通でないものがとりついているらしいのです。とくに困ることもないのですが、その正体を知りたいのです」

とたのむと、女性の霊媒は言った。

「うまくいくかどうかわかりませんが、できるだけのことはやってみましょう……」

そして、呪文(じゅもん)をとなえはじめた。それはいいかげんなものでなく、かなり熱がこもっていた。二人はじっと見つめつづけた。

やがて、その女の顔に変化が起った。あの時の女の顔そっくりになったのだ。二人に、にっこりと笑いかける。そして、数秒後には、霊媒は呪文以前の状態に戻って言った。

「あたし、なにか言いましたか」

「べつにありませんが、表情の変化には驚かされました。で、なにか心に浮かびましたか」

聞かれて、霊媒は言った。

「はい。はっきりと見ました。最初のうちはなにか暗い感じでしたが、やがて明るいところへ出ました。ひとつの部屋で、ベッドがあり、簡単な宿泊所といった感じでした。光の関係で顔はよくわかりませんが、そこに人がいたので、あたしは笑いかけました。でも、さらに進むと、また暗いところへと入ってしまいました。思い出せるのはこれだけですが、なにか心当りはおありですか」

「ありますけれど、それだけではものたりません。もう少しなにか……」

「残念ですけど、これだけですの」

「とにかく、ありがとうございました」

二人は適当な謝礼を払って、そこを出る。しかし、手がかりには不足だ。

「まさに、あの再現だったね。びっくりしたよ」

「こっちの心をのぞいたのか、精神的な反映とも考えられるし」

「宿直室の女とのつながりは残っているみたいだが、だからといって、いまの霊媒にまとまった謝礼を払うことはない。むだづかいしやがって、ともなりかねない。とにかく、容易にはきめられないな」

そのうち、こんどは獣医師のほうから電話をかけた。

「こっちでも、ひとりみつけたよ。七十歳ぐらいの老人。むかし小説家、といっても調べ好きの性格らしいがね、いまは怪異現象の研究家だそうだ。行ってみるかい」

「こうなったらね」

二人は訪れ、これまでのことを順序だてて話した。

「……というわけなのです」

聞き終った老人は、組んでいた腕をほどいてひざに置いて言った。

「うむ、まさに怪異です。珍しい」

「ひとつ、解説をお願いします。なぜ、こんなことに……」

「よろしいか、説明をつけられないからこそ、怪異なのですぞ。そうでなかったら、日常的な現象で、怪異ではない」

「なんだか、はぐらかされているような……」

「その気になれば、どうにでも言えますよ。数十年前、幸運に恵まれた生れつきの女性が、あそこで雷にうたれた。人生の幸運と、自然現象の幸運とはちがっていて……」

「それで……」

と身を乗り出す二人に言う。

「これは出まかせ。説明がついては、怪異ではない。あなたがたをだますのは簡単だが、わたしはいやしくも良心的な研究家。いいかげんなことは言いません。よろしいか。世の中、真実を知ったほうがいいとは限らない。たとえば、自分の正確な死期などがいい例でしょう。この怪異だって、あなたがたはけっこう楽しみ、災厄にもあわずにいる。知らないほうがいいのです。それとも、どんな目に会ってもいい覚悟で、あくまで知りたいとおっしゃるか」

老人に言われ、二人はとまどう。

「さあ……」

これが第三者のことならなあ。

凶夢

そこは都会からはなれた、まだ俗化していない小さな入江。浜辺に波が静かに寄せている。午前十時ごろ。ひとりの老人がたたずんでいた。三十分ほど前からだ。とくに用事があってではない。ここの景色はすばらしいが、老人にとっては見なれたものだ。ひまつぶしに立っているのではない。

といって、はっきりした用件があってでもない。なぜだかわからないが、ここに来なければという気分になったのだ。

いまは引退しているが、彼は漁のために数え切れぬほど海に出た。そこで、さまざまな体験をした。そのせいか、大漁の予感、強風の予感、そんな能力がいくらか身についている。だから、自己の気分にさからわないような性格になっているのだ。しかし、具体的になにが起るのか、ぜんぜん思い当らない。

そのうち、若い男女の二人づれがむこうから、波うちぎわを歩いてきた。このへんではめったに見かけない、都会的な服装。それも新品だった。二人は笑顔で話しあいながらやってきたが、老人のそばで足をとめて、青年のほうがあいさつした。

「おはようございます」

「はい、おはよう。あいさつをされるのはうれしいものです。ありがとう」

軽く頭を下げた老人に、青年は言った。

「もう、おはようという時刻じゃなかったかな。ふと、前にお会いしたような気がして。しかし、思い当らない。夢のなかで会った人といったような……」

「でしょうな。にぎやかな都会へ行ったこともあるが、それは十年も前のことで、いまのわしとはちがっていたはずだ。かりに、すれちがったことがあったとしてもね」

青年といっしょの女性が口をはさんだ。

「ごらんなさいよ。ほんとにいい眺めじゃないの。おじさんの姿、それにぴったりよ。この景色に欠かせないって感じ。声をかけたくなったのは、そのせいかもしれないわよ」

老人もにこやかな表情で言った。

「そうだろうな。わしはここで生れ、ここで育ち、この海とともに生活してきた。そうなっても当然だろうな。そこへゆくと、あなたがたはちがう。こんなことをうかがっていいのかわからんが、どうやら、新婚の旅行……」

と聞かれ、青年はうなずいた。

「その通りです。よくあるコースではつまらないし、おたがい、独身の時に訪れている名所も多い。そこで話しあって、あまり人の行きそうもないところということになったのです。

もちろん、最初の日はこの近くの町のホテルにとまりましたよ。つぎの日、つまりきのうですが、ここへやってきて、一軒あった民宿にとまったわけです」

「すると、少しおそいけれど、朝の散歩といったところですな。けっこうですね」

青年は手にカメラを下げているのに気づき、それをさし出して言った。

「すみませんが、シャッターを押していただけませんか。ここからのぞいて、ボタンを押すだけでいいんです。カメラ自体はすごく進歩しているけど、自分たちをうつすという点に関しては、ぜんぜんですね」

老人はそれをやってくれた。念のためにと、三回ほど。

「これでいいかな」

「はい。どうもお手数をおかけしました。では、ひとつ記念に、おじさんをうつさせて下さい。たしかに、ここの風景にぴったりですね。ぼくの腕がもう少しよかったら、どこかのコンテストで入賞するんでしょうね……」

青年は何枚かとって言った。

「……できたら、お送りしますよ。そうだ、それには住所とお名前をうかがっておかないと」

青年はそれを手帳に書きとめた。老人は言った。

「お散歩でしたら、あそこの丘にのぼるといいでしょう。遠くまで見わたせます。川や森な

「ありがとう。それでは……」

若い二人は、教えられたほうへ歩いていった。それを見送り、老人も立ち去りながらつぶやいた。

「これだけのことなのか、あの予感は。わけがわからん」

きつねにつままれたような気分。

その夜、それをおぎなう以上の強烈な夢を、老人は見た。

午前中に出会った二人づれ。その女のほうが包丁で男を刺し、男はその出血と痛みに耐えながら、ふりかざした花びんを力いっぱい女の頭にたたきつける……。

「あ、夢か。いやにはっきりしていた。いい気持ちではないが、夢ではどうしようもない」

まだ夜中。老人は寝床から出て茶わんに一杯の酒を飲み、戻る。少し落ちつき、内心で若さをうらやんでいるせいかななどと思っているうちに、ふたたび眠りについた。

何日かたって、老人のところへ、都会の二人から写真がとどいた。二人の連名で、いい旅でしたとの一文もそえてあった。なにごともなく帰れたというわけだ。

老人は受領のハガキを出した。つけ加えたのは、どうぞ楽しい生活をとだけ。あの夢のことなど、書くわけにいかない。不快感を与えるだけだ。

そんなことがあってからほぼ一年がたち、老人はまたあの夢を見た。前と同じく、二人が殺しあう。

「なんということだ。せっかく忘れかけていたのに」

どうにも、あと味が悪い。心配でもある。だからといって、無事な毎日をすごしているのかどうか、問い合せるのも変だ。なんでこんなことをと、妙に思われる。

あれこれ考えたあげく、老人はひとつの方法を思いついた。この土地の名産である、海草の干したのを送ったのだ。値段にすれば安いもの。まさに、気は心といったところ。

しばらくして、礼状がとどいた。よく思い出して下さったとあり、おかげで結婚記念日が楽しいものとなったとあった。

「とにかく、役に立ってよかった」

老人はほっとした。

そして、それがひとつの行事になってしまった。意識してそうなったのではない。見たくもないのに、老人はあの夢を見る。気になって名産を送ってみる。なぜか結婚記念日にまにあって、お礼状がくる。老人はひと安心。それから一年がたつと、またも……。

都会でのその二人は、それぞれ職についていた。子供を持つのを急ぐこともあるまいと。亭主は会社づとめで技術関係の仕事。夫人は女性服のデザイナー。

結婚当初はなんの問題もなかったが、夫人のデザイナーとしての名が高まり、収入がふえるにつれ、精神的なずれが生じてきた。それは大きくなる一方。

亭主がマンションに帰っても、夫人はまだという日が多くなる。そこで外へ出て食事をし、酒を飲み、飲みたりなくてバーへ寄ったりが普通になる。

そろそろ子供が欲しいと言ってみても、夫人が仕事をやめるわけがない。感情的に破局寸前までゆくと、なぜかあの時の老人からのおくり物がとどく。それで結婚記念日がまもなくと気づき、あのころを思い出し、いちおう爆発は避けられるのだ。

あれから八年がたち、老人はひっそりと死んだ。寿命といっていいだろう。もはや、いやな夢に悩むこともない。

亭主が言った。

「や、もう、こんな季節か。おかしいぞ、じいさんからの品物はどうした」

あれだけが、心のなごむ唯一の救いなのだ。夫人が言う。

「そうね。とっくにとどいていていいのに。忘れたんでしょうよ」

「いいか、礼状を出すのは、おまえの役割りだ。昨年それを出し忘れたんだろう。それで、気を悪くしたにちがいない」

「出したと思うけど」

「ほら、あやふやだ」

「いちいちコピーをとっとけって言うの。冗談じゃないわよ。忙しいのに」

「なにしろ、いまや、おまえは世界的なデザイナーだからな」

「なによ、その言いかたは。毎晩のようにバーで飲んでるくせに」

「おまえには、名もなき者の気持ちが理解できなくなってしまったんだ。あのじいさん、返事がないので、心が傷ついたんだ。そうにきまっている。おれにはよくわかる」

「ひがみよ、それ。アル中のせいよ。もっとすなおになったらどうなの」

「なんだと……」

こうなると、もうあと戻りはできない。ブレーキははずれてしまったのだ。たちまちのうちに、最悪の事態へとたどりつく。

老人のあの夢は、現実となって展開された。

目がさめて

朝、自宅のベッドで男が目をさますと、枕もとに幽霊が立っていた。それを見たとたん、さむけがからだじゅうにひろがった。男は妻を呼ぶ。

「ちょっと来てくれ」

「なんなの」

そばに来た妻はふしぎがる。

「そ、そこを見てくれ」

「わけがわからないわ」

「ほら、そこにいる、かげの薄いやつ」

指さすが、同様。

「なんにも見えないわ。眠っているのなら夢なんでしょうけど、起きているんだから幻覚ね。なんだか元気がないみたい……」

妻は男のひたいに手を当てて言う。

「……熱があるようよ。会社を休んだほうがいいんじゃないの」

「ああ、そうしよう」

その男は、まじめな性格だった。出勤の時刻を少し過ぎたころ、会社の上司に電話をした。

「朝からさむけがしますので、きょうは欠勤させていただきます」

「それはよくないな。きみは熱帯地方への出張から戻ったばかりだ。その疲れが出たのかもしれない。どんなぐあいなのだ」

「目をさますと、さむけがし、気分がすぐれないのです」

「目をさまして、まず、なにかあったんじゃないかね」

「ええ、しかし……」

「ありのままを言ってくれ。他人どうしじゃないんだ」

上司にうながされ、男は言った。

「はい、じつは、その、幽霊が……」

「信じるよ。見たのはたしかだろう。体調がよくないから、そういうものを見たのだ。そいつは、いまも見えているのか」

「はい。もっとも、妻には見えないようですが」

「そいつのようすを教えてくれ。男か女か」

「男です。七十歳ぐらいかな」

「髪の毛は白いか」

「かなり薄く、ほとんどありません」

「着ているものは……」

「仕立てのいい洋服でしてね。グレイです。明るい色のネクタイ。足のほうはぼやけていて、くつか、くつ下のままかはわかりません……」

さらに会話がつづき、電話はいったん切られた。数分後に電話がかかってきて、上司が言う。

「さっきのデーターを医務課に検討させた。疲労に加えて、かぜらしい。しばらく休んで、健康回復に専念してくれ。仕事のことは気にするな。近所の医者に診察してもらえ。ついでに糖尿の検査も受けるといい」

「で、この幽霊は、ずっとつきまとうんですか」

「医者へ行けば消えるよ。とにかく静養を必要としているのだ。中途半端なからだで会社へ来てもらっても、能率があがらない」

「わかりました」

言われた通りに休み、元気をとりもどして出勤となる。あまりふしぎなので、男は、部署はちがうが同じ社の同僚に話した。

「こんなことって、あるかね。幽霊を見てさむけがしたって上役に電話したら、あっさりと数日間の休暇をみとめてくれたよ。なにかのたたりで、それを持ち込まれては困ると思ってかな」

「そんなことが通用するとは知らなかった。ぼくもやってみるかな。推理小説でも読んで、二、三日、ゆっくりすごしたいんだ」

一週間ほどして、男はその同僚と会い、聞いてみた。

「うまく休めたかい」

「だめだったよ。よく絵にあるだろう、すごみのある女の幽霊。それを見たと電話で報告したんだが、すぐにばれた。コンピューターが仮病と判定したんだそうだ。二度とやるなと注意された。仕方ないけどね」

「なぜか精神科医にみてもらえとは言われない」

「そういえばそうだな。で、きみのほうはあれきりかい」

同僚に聞かれ、男は言った。

「いや、きのうの朝、またもだ。今度は男の子の幽霊。にこにこしていたよ。しかし、疲労感もないし、頭痛もない。会社へ出て、上役に相談したよ。前回のこともあるしね」

「すると……」

「近いうちに浮気が発覚するから、うまい言い訳を考えておけとさ。たぶん、そうなるんだろう。そこで、いろいろ考えてるとこさ。まあ、なんの用意もなしでよりはましさ。さわぎも、いくらかおだやかに片づくだろうしね」

とつぶやく男に、同僚は聞いた。

「こういう大会社につとめていると、人事管理のサービスもゆきとどいているってことだな。しかし、なんなのだろう、その幽霊まがいのしろものは」

「わからんね。いずれにせよ企業というものは、プラスになるとみれば、どんなものでも実現し採用してしまうんだ」

印象

その青年は二十八歳。独身で会社づとめだった。息子に甘い金持ちの父親のおかげで、通勤に便利な場所のマンションでのひとり暮しだった。かなり優雅な生活。うらやむ同僚もいたが、おっとりとした性格なので、社内での評判はよかった。

まあ、そんなことはどうでもいい……。

会社の帰り、青年はなんとなく喫茶店に寄った。昼食を簡単にすませていたせいかもしれない。コーヒーとサンドイッチを注文する。

少しはなれた席に、ひとりの少女をみかけた。ゆっくりとアイスクリームを食べていた。それを食べ終っても立とうとせず、ぼんやりしたまま。時計ものぞかず、出口のあたりに目をやらないところから、待ち合せではないらしい。どことなくふしぎな印象を受け、サンドイッチを片づけた青年は、近よって声をかけた。

「あの、おじょうさん」

「あたしのこと……」

と少女は青年のほうをむく。顔もからだつきもほっそりとしていて、おとなしそうな感じだった。十六歳くらいか。

「どこかぐあいが悪いんですか」

「わかんないの」

「これからどちらへ」

「わかんないの」

「おたくはどこなんです」

「それが、わかんないの」

「道に迷ったんですね。適当なところまでお送りしますよ。荷物がないところから、地方からおいでではないようですね。住所、電話番号、お名前は……」

「わかんないの」

「なんですって……」

どういうことだ。青年は自分のとともに店の支払いをすませ、そこを出て、行きつけの医者へ連れていった。

ひととおり診察して、医者は言った。

「記憶喪失ですね」

「そうでしたか。変な人に連れ去られなくてよかった。原因はなんでしょう」

「それも思い出せないわけですよ」

「そうですね。なおりますか」

「日時をかければね。肉体的には健康なのですから、心配することはありません」

「ぼくのマンションへ連れて帰っていいでしょうね。余分な部屋があるのです。こんな症状の人をとめておく場所って、ほかにないんでしょう」

「ですね。入院させてもいいが、費用が問題です。あなたが責任をもって面倒を見るのなら、いいでしょう。警察へはいちおう、わたしから連絡しておきますよ。捜索願が出ているかもしれない。あなたが変な人でないことも、保証しておきましょう。とにかく、週に一回はここへ来させて下さい」

かくして、少女は青年のマンションに住みつくこととなった。好意の結果であることをすぐに理解し、掃除、洗濯、料理づくりなどを進んで手伝った。

近所の地理もおぼえ、買い物もしてくれる。青年は小遣いを少し与えることにした。食べたいお菓子もあるだろうし、季節が変れば、服だってそれに合さなければならない。

その一方、定期的に医者へかよわせた。記憶は依然として戻らないし、失踪人としての問い合せもない。

ある日、青年がバーでひとりで飲んでいると、顔も服装も地味な感じの中年の男が話しかけてきた。

「まことに突然ですが、さっきから、あなたのことが気になりましてね」

「ぼく、どこか変ですか。それとも、以前にお会いしましたっけ」

青年が聞くと、相手は首を振った。

「たぶん、きょうお会いするのがはじめてでしょう。あなたの印象なのです。ひとつ、おうかがいしたいことが……」

「なんですか」

「しばらく前、あなたの生活に、なにか変化があったはずなのです。あなたは気づかないでいるが、ほっておくと、よくないことになります」

「なんだか、意味ありげだなあ。しかし、なんのことだろう。まさか、あのことじゃないだろうな」

「そのことかもしれませんよ。たぶん、それです。おっしゃってごらんなさい」

「ふしぎな少女と知りあい、いっしょに住むようになった」

と青年が打ちあけると、相手は大きくうなずいた。

「やっぱりね。そうでしょう」

「それがどうかしたかい」

「で、彼女について、よくご存知なんですか」

「なんにも。しかし、感じはいいし、いてくれるとなにかと便利だし……」

「蛍光灯の光を好きでしょう」

「そういえば、蛍光灯のスタンドを愛用しているな。言われるまで気がつかなかった。それが、なにか」

「オリオン座の方角に、ホフリーという星がある。彼女はそこから来た。つまり、他星人です」

「とてもそうは見えない。まさしく地球人ですよ。普通に生きている。宇宙を越えてやってきたなんて……」

首を振って打ち消そうとする青年に、相手は言った。

「いわゆる常識を、あてはめようとしてはいけません。宇宙船なんかで、やってきたのではない。正確に説明するのは大変ですが、簡単にいえば霊魂です」

「霊魂がどうした」

「ホフリー星では、それを分離できるのです。そして、電波に乗せて発射した。それがはるかかなたの地球の大気圏に入り、目には見えないが浮遊状のものとなり、ただよっているうちに彼女に宿ったというわけです」

「まさか」

「わたしは、こういう分野にくわしいのです。蛍光灯が好きなのも、そこの太陽の光に似ているからです」

「信じられない。なんのために、霊魂を送り込んだというのです。地球へのスパイですか。

通信手段や帰る方法がなかったら、どうしようもないでしょう」

「生物としての本能でしょうね。宇宙のほうぼうに、仲間をふやしたい。わかるでしょう」

「そういうものかな」

「お疑いなら、電話をかけて、この呪文をとなえてごらんなさい」

男はメモ用紙に書いた。

〈レメール、ドギラグ……〉

青年は冗談でもともとと、自分のマンションにかけ、電話に出た少女に、それを告げてみた。

「あっ……」

という声がし、電話は切れた。

青年があわてて帰ってみると、少女の姿はあとかたもなく消えていた。ここにいたという痕跡すらない。いままでが幻だったような気分。青年はさびしく空虚な思いで眠りについた。

つぎの日は休日。ベッドのなかでうつらうつらしていると、電話が鳴った。出ると、きのうの中年男。こう言う。

「いかがですか」

「どうもこうもない。どうしてくれる。すぐこっちへ来てくれ」

「うかがいます。どうなったか結果を知りたいのでね」

やがてやってきた中年男に、青年は言った。

「まあ、その椅子にかけろ。とんでもないことになったぞ。あの子がいなくなった」

「そのようですね。あなたのほかに、人のけはいがない」

「かわいい子だったのに。べつに危険な存在じゃなかった」

「オリオン星座の異星人ですよ。あの方角がよくない。わざわいのもととなるのです。中世の魔女さわぎも、もとはといえば同じ現象なのです。これが白鳥座の方角からのだったら、わたしもご注意しませんでした」

「現実に役に立っていたのに。家事の一切を手伝ってくれていた」

残念がる青年に、中年男は言った。

「そのことでしたら、わたしが埋め合せをします。料理の腕でしたら、本職には及びませんが、ちょっとしたものです」

「どこで覚えた」

「むかし、フランスへ行ってた時のことです。金がなくなり、コックの助手をやったことがあるのです。本格的に習ったのでなく、見よう見まねですから、たいしたことはありませんが」

「外国語ができるのか」

「まあね。ここにいさせていただければ、家事をやってあげますよ。無料でいい。小遣いぐらいは、自分でなんとかします。あきたとお思いになったら、おっしゃって下さい。すぐに出ていって、ご迷惑はおかけしません」

「ひとつ、ためしてみるか」

その中年男は、年齢の見当がつかないが、四十五ぐらいだろうか。言った通り、料理の腕はなかなかだった。

それに、話が面白い。外国を放浪していた時の体験談には、思わず笑わされてしまう。そして、たねがつきないのだ。ということは、適当に作り上げたのもまざっているというわけだろうが、真に迫っていて、それも才能のひとつといえるだろう。

青年の毎日は楽しいものとなり、前にいた少女のことは忘れていった。

青年が会社へ出勤している留守のあいだに、男は外国文を訳したり書いたりしていた。各国の商品の動きの状態に関するものらしかった。商社からの依頼なのだろう。その仕事はいくらかの収入となり、珍しい酒を入手してきて青年と飲んだりした。ユーモラスな話題はつきることがない。

数カ月がたち、青年はパーティーである女性と知りあった。郷里は山奥なのと言いながら、なかなかスマートで、好感が持てた。

そのあと二次会みたいな形で二人だけで飲み、話しあっているうちに打ちとけてきて、青年は言った。

「近いうちに、ぼくのマンションに遊びに来ませんか」

彼女は言った。

「行ってもいいし、行ってみたいけど、あれがね……」

「なんのことだい。なにか問題があるみたいだけど」

「思い当るでしょ。正常な状態じゃあないでしょ」

「さあ。いっしょに、中年男が住んでいるがね。料理のうまい、面白い男だよ。そいつのことかい」

「ええ、その人のこと。外見じゃあ、わからないでしょうけど」

「そう言われると、気になるなあ。どういうことなのか、教えてくれよ」

と青年はうながしたが、彼女は言った。

「信じないんじゃないかしら」

「信じるよ。きみはでたらめを言う人じゃなさそうだ」

「あの人、死んでるのよ」

「まさか。働いているぜ。ちょっとした仕事をして、金をかせいでいる。なかなかの才能の持ち主だ」

「才能はあるけど、まるで欲がないでしょう。ここが重要なの。精神的に死んでるからよ。そういうわけで、肉体的にとしをとらない。頭の働く、動くミイラってとこね」

「ふうん」

「ありあまるほど時間があるので、ほうぼう回っているから、いろんなことを知ってるわけよ。妙な呪文のたぐいもね。話は面白いでしょうけど、当人は笑ってないでしょ。楽しませマシーンみたいなものなのよ」

「それが正体とは知らなかった。このままだと、ぼくもどうかなるのかい」

「テレビを見つづけの子供といったとこね。一種の中毒のようなもの。あれなしでは生きていけなくなる。命にかかわることはないでしょうけど、いい傾向とはいえないんじゃないかしら。とにかく、あたしの趣味じゃないわ」

「それじゃ、出ていってもらうとするか。そう言ってくれれば出てゆくって、約束してくれていた。しかし、食事を自分で作らなければならなくなるな」

「あたしが手伝ってあげるわよ」

「ありがたいね。中年男よりましだよね」

帰宅した青年がそれを告げると、男はあっさりと出ていった。

「ご心配なく。わたしは食うのに困りませんからね。これから、当分おひとりですか。それとも、どなたかが来るのですか。お元気でね」

ごたごたはなかった。

というわけで、女は青年のマンションに来るようになった。美人だし、笑った表情が特に魅力的だ。アクセサリーのデザインに関する才能があるらしく、そのたぐいの会社に定期的に出かけて、収入を得ているとのこと。

最初のうちは週に二回ほど掃除や料理を手伝いに来ていたが、しだいに回数がふえ、いる時間も長くなり、時にはとまっていくこともあった。

いずれ結婚することになりそうだったし、それが自然のように思えた。

ある夜、会社の帰りに青年がバーのスタンドでひとりで飲んでいると、三十五歳ぐらいの男が少し酔った口調で話しかけてきた。

「あの、あなたとははじめてお会いしたようですけど、印象がどこか普通の人とちがっていて……」

それを聞き、青年はまたか、もういいかげんにしてくれという気分で言った。

「ああ、ああ、わかっているよ。ぼくといっしょにいる女は、ただものじゃないってことだろう。山奥のご神木のそばで生れた。福の神に縁がある。ひそかにマスコットを作らせ、これはという人に売っているって言いたいんでしょう」

「ご存知とは……」

「どうやら、あなたはいま、努力と能力がみとめられず、会社に不満を持っている。それはですね、あなたの五代前の祖先が、犬を生き埋めにして大地の霊にささげ、一時的に財をなした。そのたたりが、あなたにふりかかっているのです」

そう言うと、相手は酔いがさめ、青ざめてふるえ声となった。

「よくおわかりですね。そんな言い伝えは聞いていましたが、そのたたりとは。どうしたらいいでしょう」

「その場所、だいたいの見当でいいんですよ、小さな塚を作り、供養をすることです。その時、ドッグフードを一キロぐらい埋めてあげて下さい。それですべてが好転します」

「ありがとうございます」

その男は喜んで帰っていった。そのあと、マスターが青年に言った。

「なんとなしに耳に入ってしまいましたが、奇妙な会話ですね。あの話、本当にそうなんですか」

「いや、出まかせさ。知ったことか。しかし、ああいうの、いま、はやってるんじゃないのかい」

生きていれば

その青年は海岸ぞいで、小さなドライブ・インを経営していた。ひまがあると、砂浜を散歩する。空気がいい。

ある日、ぼんやりと立って沖を見つめている四十歳ぐらいの男を目にした。普通の人とちがったムードを持っている。疲れたような表情。なにか事情がありそうだ。声をかけてみた。

「いい眺めでしょう」

「あ、ええ、そうですね」

べつなことで頭がいっぱいのようだ。

「なにかでお悩みのようですね」

「その通りなんです」

「まさか、思いつめて死にたいほどでは」

「その自殺ができればいいんですがね」

それを聞いて、青年はあわてた。

「実行されたら、ここのイメージダウンになってしまう。元気を出して下さい。生きていれば、なにかいいことがありますよ。食事でもいかがです。その店をやってるんです。おごりますよ。話を聞かせて下さい。ご相談に乗りますよ」

引っぱるように連れてきて、椅子にかけさせる。その男は言った。

「あなたは親切なかただし、わたしの話をよそでしゃべって困らせたりはしないようだ」

「そうですよ。こういう商売では、お客さまあってこそです」

すすめられて紅茶をひと口すすり、サンドイッチを食べながら男は話しはじめた。

「はるか昔のことです。じつは、わたし、この近くに住んでましてね。朝はやく、波で打ち寄せられた海草を拾うことを日課としていた。そして、ある朝、木の板に乗って流れついたやつがいた。板につかまって泳いできたのかもしれない。まあ、板のことはどうでもいい。見なれない姿のそいつは、砂の上に指で字を書き、自分は仙人だと告げた。いま考えると、宇宙人だったのかもしれないと思えるが」

あまりの話に、青年は口をはさんだ。

「仙人とは、なんとも古めかしいしろものではありませんか」

「だから、昔の話と言ったでしょう。いずれにせよ、難破した人にちがいない。わたしは自分の家に連れてきてせわをした。いまのあなたのようにね。数日たって元気になり、その人はお礼になにかしてあげたい、望みはなにかと言った。筆談でだがね」

「で、なんと……」

「不老不死と答えたよ。仙人なら長寿の方法を知ってると思ってね。感謝の言葉だけでもよかったんだが」

「どうなりました」

「その人はしばらく考え、よろしいとうなずいた。身につけていた小さなツボのなかの薬を飲ませてくれた。その作用か、あるいは幻術、いまの催眠術のたぐいかな、わたしの前に異国的な神があらわれ、わたしのからだの何カ所かにハリを打った。われにかえってみると、その人は去ったあとで、わたしは不老不死となっていた」

「なぜそうと……」

「それから十年たって、少しもとしをとらない。村の者がふしぎがりはじめた。そこで、わたしも本物らしいと思って、やむをえず旅に出た。化け物あつかいされかねないしね」

作り話としても面白いと、青年は相の手を入れた。

「関ケ原の合戦も見たんでしょうね」

「ああ、遠くからね。だが、大坂冬の陣、夏の陣は、かなり近くから見た。はじまるのがわかってたからね。しかし、徳川時代となると、幕府の管理がととのってきて弱った」

「どう対応を……」

「僧となって、全国を回った。修行のためと称してね。しかし、同じ村へは二度と行けない。顔を覚えられていると、としをとらないことを知られるからね。山伏となったり、旅の一座に加わったりもした。生きるための知恵だね。七十年ほどたって、完全に代がかわったころ、また僧となってかつての村を訪れたりした」

もっともだと思わせる点もある。

「明治維新はどうでした」

「あれがいちばん面白かった。大変化だったものね。大陸へ渡って生活したこともあった。気楽さもあったが、その地の言葉や習慣を身につけねばならない。しかも、ある年月たったら、ほかの土地へ移らなくてはならない。時には帰国もした」

「苦労したんですね」

「大変なものさ。犯罪者とまちがわれ、終身刑になったらことだ。病人あつかいされ、入院となったら、いつ出られるかわからない。死ぬほうが楽と思うこともあるが、やれないんだね。不老不死の効果は、そこまで及んでいる。事故にもあわない。しかし、友人がひとりもできない。孤独の極だぜ」

話を聞いているうちに、青年は思いついて言った。

「そうだ。ぼくがかくまってあげましょう。秘密は守るし、他人にも会わせない。食事つきです。そのかわり、過去の思い出を聞かせて下さい。これをまとめたら、すばらしい記録となる」

「前にもそういう申し出があった。ご好意はありがたいが、そのご期待にはそえないのです。

日記をつけつづけだったらよかったのでしょうが、他人に見られたらことです。日記をつける余裕など、とてもない。怪しまれないように一日をすごすことがすべてです。思い出にひたったりしていられないし、できないのです。すべてを鮮明に記憶していたら、有限である頭のなかが、どうかなってしまったでしょう。適当に忘れることが、不老不死に役立っているのでしょう。大坂城の落城など、もう夢のようにぼやけている」

「そうですか。残念ですねえ」

「いいことは、ひとつもない。なんという宿命。のろわれているような気分です」

「お気の毒に思えてきました」

「といったわけなのです。どうも、ごちそうさま……」

男はこう言い、ため息をつきつづけの青年と別れ、どこかへと行ってしまった。

一カ月ほどして、青年はまた海岸を歩いていた。いつか、妙なやつと会ったなあ。

この日も、どこか普通の人とちがった感じの、六十歳ぐらいの男が立っていた。青年は声をかける。

「なにか問題をかかえておいでのようですね」

「そうなんじゃよ。どうせ信じてはくれまいがね。ずっと昔、このあたりである人に秘術をほどこした。好意でやったのだが、そのごの自分の体験で、やがてそう楽しいものでないとわかってきた。むしろ苦痛だ。そいつを普通の体質に戻してやろうと、ずっとさがしつづけ。

それをしないうちは、わしは死ぬに死ねんのじゃ……」

青年はそれを聞きながら、首をひねった。この人にごちそうして、もっとくわしく話を聞いたものかどうか。

捕獲した生物

その宇宙基地への攻撃は、きわめて巧妙におこなわれた。急速な接近、金属板ごしに効果をあげる睡眠電磁波銃、侵入と退去。

血は流されず、死者も出なかった。ただ、若い男女の要員が一名ずつさらわれた。それを連行して帰途についた宇宙船のなかで、ルム星人の指揮官が部下に言う。

「やつら、まだ眠っている。すべてうまくいってよかった。われわれは侵略も植民もやらない。無意味な殺しも好まぬ。平和と学問と楽しさを愛する性格だ。さっきの行為も、宇宙動物園のなかの種類を、少しでもふやしたかったからだ」

「いい収獲でしたね。これは、なかなかの珍種です。入場者たちは喜びますよ。知能と呼べるほどのものではないでしょうが、簡単な道具は使いこなせるようです。学者たちのいい研究対象にもなりましょう」

「帰ってすぐ動物園に入れられるよう、さっそく作業にかかるか」

まず老化防止の処理がなされた。寿命がつきるたびに、いちいち採集に出かけるのは大変だ。長生きしてくれれば、一対いればいいのだ。

また、過去の記憶をすべて消去する処理もほどこされた。なにしろ環境が変るのだ。ストレスで体調が変化しては困る。知能が低いから大丈夫とは思うが、ホームシックにかかるのも防止しなければならない。

さらに、凶暴性を発揮し観客に危害を及ぼさないため、従順さを保つようにとの暗示もかけられた。これでもう、動物園入りさせていいというわけだ。

そのうち、部下が報告した。

「やつらの呼吸している大気成分の分析がすみました。どうやら、われわれの星の大気のなかでも生存していけそうです」

「となると、野外動物園に収容できるな。ますます好都合だ。あの口、爪ぐらいなら、危険性はない。おとなしくさせてあるから、棒を振り回すこともないだろう。大ぜいの者が楽しめる」

その宇宙船はルム星に帰着し、れいの生物は動物園へと引き渡された。野外生活をさせて病気になるおそれはないかと、慎重な診断がなされ、その結果、みなの目にふれることになった。

その珍奇さは、だれをも喜ばせた。

「二本足で歩いているぞ。手の指は五本ある。たぶん、あれが口なんだろうな。一方は、口のまわりに毛がはえている。どういう意味があるのだろう。宇宙生物にはいろいろなのがあるなあ」

「もう一方は、くらべてみると、ふっくらした感じだ。触手も尻尾(しっぽ)もない、どっちにも」

その問題の生物たちは、なにも身にまとっていなかった。捕獲時にはいずれも身体の大部分をなにかでおおっていたが、取り去っても生存に関係ないと判明した。野外動物園はなるべく自然な姿のままというのが方針だったし、見物する側もそれを好んだ。

その一対の生物は、なかなかの人気だった。気候がからだに合っていたのか、いちばんの心配、病気になることもなかった。

しかし、予想もしなかった、その逆の現象が発生し、恐るべき事態へと進展した。その生物は体内にたぶん消化器系内にだろうが、ある種の菌を保有していた。それは、その生物たちにとっては、なんの害も及ぼさない。ビールスを媒介する虫がそのビールスに平気であり、サソリの猛毒がサソリ自身を殺さないのと同様に。

その菌は、ルム星の住民たちにとって、命とりの病原菌として作用した。微妙な大気成分の変化が、菌の増殖の好条件となったせいもあった。

疫病は防ぎようもなくひろまった。原因の究明のひまもない。下痢と高熱で死んでいった。最初の日は一人でも、つぎの日は二人。三日目は四人。これがどんなスピードかというと、まだ半数は生存している日の翌日が終末の日なのだ。

密閉状の室内にとじこもった者も、用意の大気を呼吸しつくしたら終り。わずかな数だけ宇宙へのがれたが、なかの空気に菌のまぎれこまなかったことを祈るだけだ。

　宇宙基地から捕獲されてきた一対の生物は、そのまま生活をつづけた。えさは倉庫にたくさんあるのだ。見物に来る連中がまったくなくなったのが唯一の変化だったが、それもどうってこともなかった。さびしいとか退屈とかいう感情が押えられている。平穏な日常という生活に、すっかりなれている。

　この野外動物園は、なかなかよく出来ていた。泉があり、池があり、たえずなにかしら花が咲いていた。きれいなチョウが飛びかい、小鳥の鳴き声も美しい。ほかの動物たちも、あばれたりはしない。

　問題の一対の生物は、歩きまわり、ある日、鳴き声をかわした。もちろん、意味を持った内容だ。

「あら、あそこの木に、なにか実がなっているわ」

「柵のそとだよ」

「かまわないわよ。簡単に乗り越えられるわ。それに、このごろ、だれも来ないじゃないの。どんな味だか、食べてみたいわ」

「なんだか気になるが、たまには変ったものも……」

　あの菌と相通じる事態といえるだろう。ルム星の住民にとっては、とくにどうってことのない果実だ。しかし、この一対の生物にとっては、暗示や処理によって押えられていた原始的な欲望を、すべてもとに戻すという作用の成分を含んでいたのだ。

二人の本能はめざめさせられた。まず、自分が裸であることを、それぞれ気にした。

やがて子孫が繁栄し、この星の支配的な種族におさまるのに、そう年月を要しないだろう。

解説――進化したツルたち

山本孝一

僕が大切にしているもののひとつに星新一さんに書いていただいた色紙があります。そこには、こう書かれています。

意中生羽翼　筆下起風雲　　星　新一

これは星さんが香港(ホンコン)に行かれたとき、占い師にご自分の生年月日をもとに占ってもらったところ、占い師に示された文章とのこと。

意中に羽翼を生じ筆下に風雲を起す

一千編以上のSFやショートショートを書いてこられた星さんをずばりあらわしていると思いませんか。

僕がはじめて星さんの作品に接したのは、もう三十年以上も昔、まだほんの子供の頃でした。ある夜、ラジオドラマで聴いた奇妙な話が気になり、寝床の中で不思議な思いにとらわれつづけたという記憶がありました。それが星さんの初期の作品「鏡」と「水音」というシヨートショートのラジオドラマ化だと知ったのはずっと後、高校生になってからです。

以来二十数年、星新一ファンとして、星さんの作品を読み続けています。僕にとって星作品というのは、作品がとぎれると禁断症状がおこってくる筒井康隆さんや半村良師匠のような一種麻薬的魅力ではなく、なにかものたりない時など古い作品や気にいった作品を読み返してみると心が落ちつくという、ま、一杯の熱いお茶のようなものでした。「月の光」「友を失った夜」「午後の恐竜」「壁の穴」などは何度読み返したことかわかりません。

星さんの文体というのは、きっちりと主語と述語があって適切な形容詞がついていてという簡潔な文章で、コンピューターから出てきたようなとか未来的なと評されますが、それでいて誰にも真似のできない摩訶不思議な文体です。その平易な文章と作品のおもしろさのためか、世界各国で訳されています。アメリカ、ソビエト、中国はもちろん、ユーゴスラビアなどでも読者を楽しませ、星さんから何年か前にいただいた年賀状にはなんとベンガル語訳の「ボッコちゃん」の一節が載ってました。外国の読者にとって、こんな小説を書くホシ・シンイチとは、いったいどんな人だろう？　そう思うのは当然でしょう。二十年ほど前、ソビエトからやってきたSF関係者は、作品から星さんを白髪の老人だと思い込んでおり、長身で童顔で若々しい星さんを見て驚いたそうです。ちなみにその人は、小説のイメージから小松左京さんを神経質そうな痩せた青年だと想像していたとか。

いまだに尽きぬ星作品の魅力というのは、作品の持つ楽しさだけじゃなく、作者自身の魅力にあるのじゃないかと思います。そんな星さんに惹(ひ)かれて作られたファン・クラブ「エヌ氏の会」も結成後二十年近くたちます。

星さんがショートショート一千編を達成された数年前、星新一ファンから集めたアンケートの結果をみると「星さんのココが好き！」では、一位が童顔、二位が白髪と人柄、以下笑顔、発想力、喋(しゃべ)り方……と続いています。

星口調とでもいうべき話しぶりからぽんぽん飛び出す豊富な話題にわれわれは魅了されたものです。それは作品から感じるのとはまた別の星さんの魅力でした。

ＳＦ大会や囲む会では、われわれファンにこっちまで嬉しくなるようなあの少しはにかんだような笑顔で接してくださる星さんですが、非常識なファンや礼儀をわきまえない者には厳しい態度を示された一面があります。そのとき、僕はピシッと一本すじが通った作家・星新一を見る思いがしたものです。と同時に作家に対するわれわれファンのありかたについても考えさせられたのでした。

一時期、星さんの作品はマンネリだと言われたことがありました。それに反発されたのでしょうか、ある時こんなことをおっしゃっていました。

人はマンネリが悪いと言うけれど、マンネリと言うのは、言いかえれば「安定」ということなんだ。テレビで「水戸黄門」や「遠山の金さん」に人気があるのはマンネリだからなんだ……と。

この星さん独特の逆説の妙が生かされているのがエッセーです。僕は星さん流のものの見方と好奇心にあふれたエッセーが小説と同じくらい好きです。外国のヒトコマ漫画をテーマ別に解説した『進化した猿たち』(新潮文庫)の面白さは格別です。

もう一つ星さんで忘れてならないのは翻訳です。ウィンダム「海竜めざめる」といった翻訳があるけれど、とりわけ素晴らしいのは『フレドリック・ブラウン傑作集』(サンリオ文庫)です。ブラウンといえばアメリカのショートショートの神様。先年亡くなって本当の神様になってしまったけれど、その傑作集を日本のショートショートの神様、星新一さんが訳したのですから、あなた、これは全盛期のカール・ゴッチとアントニオ猪木が対戦するようなものですよ。

ちょうどこの本の翻訳を終えられた頃、星さんとお話する機会があったのです。この翻訳について星さんは「闘技場の直径が何フィートと書いてあるのに周囲の長さがあわない。ブラウンは円周率を知らんのですかなぁ」「週給何ドルとあるのに、そのあとの年収では金額が違う。あのブラウンというのはまともな教育をうけたのですかなぁ」と苦笑しておられたのを覚えてます。星先生、調べたらブラウンはちゃんとインディアナ州のハノーバー・カレッジを卒業してましたよ。

星さんの訳されたこの短編集は実に読みやすく、SFファンにかぎらず誰でも楽しめる数少ない本の一冊だと思います。しかし残念ながら現在絶版になっています。

僕の宝物のひとつに、僕が結婚したとき星さんからいただいた祝辞があります。

『結婚は人生の酒場でありまして、楽しくなくてはならないところなのです。休業になってはこまるのであります。じあわせな気分に酔い、かつ、ひたるところです。時にはぐちをこぼしたりもするでしょうが、楽しい会話を重ね、精神的にも結びつきを強め、しあわせをかみしめてください』

ね、いいでしょう。結婚は人生の酒場であるのフレーズ、僕は結婚式でのスピーチの際なんども使わせてもらってます。

そして、星さんはさらにこう続けられてます。『できれば、早くお子さんをお作りになり、私のファンに育てていただきたいものです』……と。

さて、忘れることのできない楽しい思い出のひとつにホシヅルの存在があります。

もしタイム・マシンがあれば、ぜひとも行ってみたいところ、それは昭和四十一年頃の東京のとある酒場の片隅です。ここで、あのホシヅルが誕生したのです。

ＳＦ作家の面々と談笑しながら星さんは、『家で子供にせがまれて絵を描いているんだ』と言いながら鶴の絵をみんなの前で描かれたのです。星さんの描かれたその鶴は、目と口が大きく、足が短く、なんとも奇妙な姿でした。みんなは大笑いして、星さんの鶴だからホシヅルだ！　とその場で命名されました。

　ホシヅルは星ファンだけではなく、日本中のＳＦファンのアイドル的存在になりました。星さんによると、ホシヅルは進化した未来の鶴の姿なのです。テレビばっかり見ているので目が大きくなり、なんでも食べるので口もでっかくなり、運動しないので足は退化して短くなり、もしかすると体内には有害物質が蓄積しているかも知れず……。

　ホシヅルファンは日本だけじゃありません。「銀河辺境シリーズ」で有名なバートラム・チャンドラーさんは、作品にホシヅルを登場させると約束してくれました。が残念なことに氏の急逝により実現はなりませんでしたが。

　アメリカの漫画家ポール・カーシュナーさんからは「驚かないでくれ。中世ヨーロッパにホシヅルが存在した証拠を発見したんだ！」という手紙とともに一枚の絵が送られてきました。みるとレンブラントの複製画の人物の肩にホシヅルが描き加えてありました。

　ときおり日本にやってきたＳＦ作家に会う機会があると、色紙にホシヅルの絵を描いてもらいます。誰もが笑ったり、不思議そうな顔をしながら喜んで描いてくれます。ホシヅルは今も世界のＳＦファンを結ぶ絶好の橋渡しの役割をになっているのです。

　かつて石川喬司さんが初期の日本ＳＦ界を「星新一がルートを拓き、小松左京がブルドーザーで地ならしをし……」という風に表現されました。この言い回しでいえば、本書『凶夢など30』は星さんがＳＦランドのはずれにある異次元との境界や、妖怪や亡霊の出没する未踏の地域にまで開拓をはじめたころの作品集といえると思います。こののち星さんはSFランドに民話をもたらし、ついには神話までおつくりになるのですから。

ここには、オチにこだわらない絶妙の語りくちの作品がいっぱい。不思議な味の、星さんの新しい魅力を楽しんでください。

今、僕の心の中では星さんに対して、ショートショート一千編を達成されたことだし、今後はゆっくりしていてほしいという気持ちと、これからもずっと書き続けてほしいという気持ちが交錯しています。星ファンならこの複雑な心理をわかっていただけると思います。

僕の子供は三人。長女は九歳です。もう少したてば「これは面白いよ」と星さんの本を与えようと思っています。さてどの本がいいだろうか、子供はどんな感想をもらすだろうか、それを今から楽しみにしているのです。


（平成三年十一月、「エヌ氏の会」会員）

この作品は昭和五十七年四月新潮社より刊行された。

星新一著 エヌ氏の遊園地

卓抜なアイデアと奇想天外なユーモアで、夢想と現実の交錯する超現実の不思議な世界にあなたを招待する31編のショートショート。

星新一著 盗賊会社

表題作をはじめ、斬新かつ奇抜なアイデアで現代管理社会を鋭く、しかもユーモラスに風刺する36編のショートショートを収録する。

星新一著 ノックの音が

サスペンスからコメディーまで、「ノックの音」から始まる様々な事件。意外性あふれるアイデアで描くショートショート15編を収録。

星新一著 夜のかくれんぼ

信じられないほど、異常な事が次から次へと起こるこの世の中。ひと足さきに奇妙な体験をしてみませんか。ショートショート28編。

星新一著 おみそれ社会

二号は一見本妻風、模範警官がギャング……。ひと皮むくと、なにがでてくるかわからない複雑な現代社会を鋭く描く表題作など全11編。

星新一著 たくさんのタブー

幽霊にささやかれ、自分が自分でなくなって、あの世とこの世がつながった。日常生活の背後にひそむ異次元に誘うショートショート20編。

星新一著　**なりそこない王子**

おとぎ話の主人公総出演の表題作をはじめ、現実と非現実のはざまの世界でくりひろげられる不思議なショートショート12編を収録。

星新一著　**どこかの事件**

他人に信じてもらえない不思議な事件はいつもどこかで起きている――日常を超えた非現実的現実世界を描いたショートショート21編。

星新一著　**安全のカード**

青年が買ったのは、なんと絶対的な安全を保障するという不思議なカードだった……。悪夢とロマンの交錯する16のショートショート。

星新一著　**ご依頼の件**

だれか殺したい人はいませんか？　ご依頼はこの本が引き受けます。心にひそむ願望をユーモアと諷刺で描くショートショート40編。

星新一著　**ありふれた手法**

かくされた能力を引き出すための計画。それはよくある、ありふれたものだったが……。ユニークな発想が縦横無尽にかけめぐる30編。

星新一著　**気まぐれ指数**

ビックリ箱作りのアイディアマン、黒田一郎の企てた奇想天外な完全犯罪とは？　傑出したギャグと警句をもりこんだ長編コメディー。

星新一著　ほら男爵現代の冒険

〝ほら男爵〟の異名を祖先にもつミュンヒハウゼン男爵の冒険。懐かしい童話の世界に、現代人の夢と願望を託した楽しい現代の寓話。

星新一著　夢魔の標的

腹話術師の人形が突然、生きた人間のように喋り始めた。なぜ？　異次元の世界から不気味な指令が送られているのか？　異色長編。

星新一著　ブランコのむこうで

ある日学校の帰り道、もうひとりのぼくに会った。鏡のむこうから出てきたようなぼくとそっくりの顔！　少年の愉快で不思議な冒険。

星新一著　にぎやかな部屋

金もうけに策をめぐらす金貸しの亭主といんちき占い師の夫人、その金を狙う詐欺師、強盗。現代世相を軽妙に描く異色コメディー。

星新一著　人民は弱し　官吏は強し

明治末、合理精神を学んでアメリカから帰った星一（はじめ）は製薬会社を興した――官僚組織と闘い敗れた父の姿を愛情こめて描く。

星新一著　どんぐり民話館

民話、神話、SF、ミステリー等の語り口で、さまざまな人生の喜怒哀楽をみせてくれる31編。ショートショート一〇〇一編記念の作品集。

星新一著
これからの出来事
想像のなかでしかスリルを味わえない絶対に安全な生活はいかがですか？　痛烈な風刺で未来社会を描いたショートショート21編。

星新一著
つねならぬ話
天地の創造、人類の創世など語りつがれてきた物語が奇抜な着想で生まれ変わる！　幻想的で奇妙な味わいの52編のワンダーランド。

星新一著
夜明けあと
明治の世相や風俗などゴシップやニュースをまとめ、日本の近代化の流れをたどるクロニクル。明治時代にタイムスリップできる一冊。

北杜夫著
母の影
歌人・斎藤茂吉の妻にして、北杜夫の母・斎藤輝子。自分流の生き方を貫き、世に〝痛快婆さま〟と呼ばれた母を追憶する自伝的小説。

北杜夫著
マンボウ氏の暴言とたわごと
時に憤怒の発作に襲われるマンボウ氏。ウヌッ、許せない！　世界の動きから身辺のあれこれまで、ホンネとユーモアで綴るエッセイ。

北杜夫著
マンボウ人間博物館
阿呆、ケチ、臆病、おせっかい、酒飲み……。マンボウ博士こと北杜夫が、さまざまな人生の機微をユーモラスに描く19編のエッセイ。

凶夢(きょうむ)など30

新潮文庫　ほ－4－44

平成三年十二月二十日発行
平成十一年十二月十日十七刷

著者　星(ほし)新(しん)一(いち)

発行者　佐藤隆信

発行所　株式会社新潮社

郵便番号　一六二－八七一一
東京都新宿区矢来町七一
電話　編集部(〇三)三二六六－五四四〇
　　　読者係(〇三)三二六六－五一一一
振替　〇〇一四〇－五－八〇八

価格はカバーに表示してあります。

乱丁・落丁本は、ご面倒ですが小社読者係宛ご送付ください。送料小社負担にてお取替えいたします。

印刷・株式会社光邦　製本・憲専堂製本株式会社

ISBN4-10-109844-1 C0193